# 7일 만에 끝내는 미적분학 2

김경률 지음

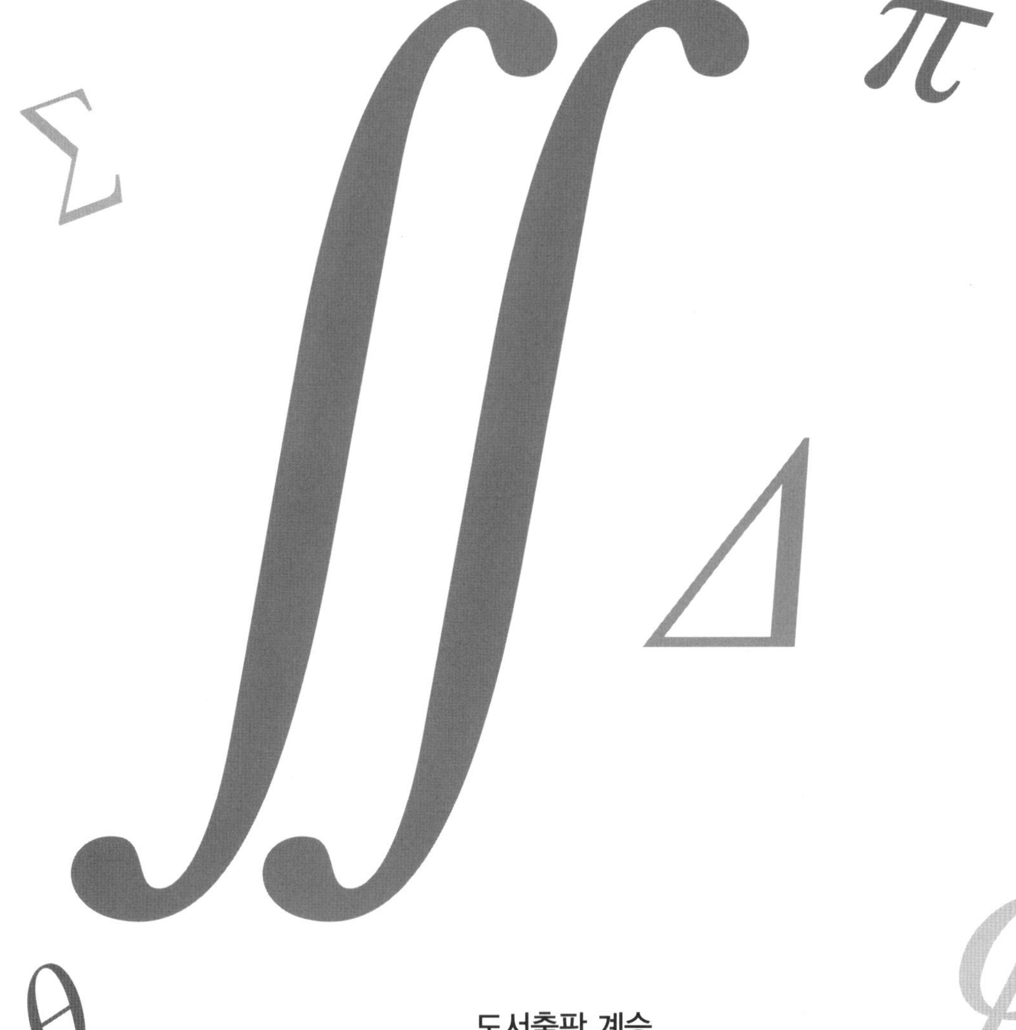

도서출판 계승

# 머리말

대학수학에서 미적분학의 위상은 절대적이다. ‘대학수학’이 사실상 ‘미적분학’의 동의어가 되어 버린 것만 보아도 알 수 있다. 미적분학이 대학수학에서 이렇게 확고부동한 위치를 차지하고 있는 이유는 미적분학이 ‘매뉴얼’을 제공하기 때문이다. 대학에서의 수학은 여러 전공에서 필요로 하는 수학적 도구를 제공하는 데 초점이 맞추어져 있다. 그러니 다양한 상황에 널리 적용될 수 있는 ‘매뉴얼’을 제공하는 미적분학이 대학수학의 핵심이 된 것은 어찌 보면 필연적이다.

미적분학이 없던 과거, 곡선의 길이, 영역의 넓이나 부피 등을 구하는 문제는 하나하나가 굵직한 수학의 문제였다. 그래서 이러한 문제를 하나라도 해결하는 것은 역사에 길이 남는 큰 발견이었다. 아르키메데스는 원기둥에 내접하는 구의 부피가 원기둥의 부피의 2/3라는 사실을 발견하고 원기둥에 내접하는 구를 묘비에 새겨 달라고 할 정도였다. 또, 미적분학의 역사를 보면 이름이 붙은 곡선이 수없이 많은데, 이는 시답지 않아 보이는 곡선도 한때는 그 성질을 밝히는 것이 수학의 중요한 과제였음을 보여 준다.

그러나 미적분학이 있는 지금은, 이렇듯 천재들이 일생을 바쳐 씨름한 문제를 누구나 종이에 조금 끄적거리는 것만으로 풀 수 있다. 미적분학이 최대값과 최소값, 근사값, 접선, 곡선의 길이, 영역의 넓이나 부피 등을 구하는 일률적인 ‘매뉴얼’을 제공하기 때문이다. 수백 년 전이었으면 수학의 중요한 과제였을 문제를 미적분학이 한낱 계산 문제로 전락시킨 것이다. 미적분학의 진정한 위력은, 바로 이렇듯 천재만이 손댈 수 있었던 문제를 범인들이 어떻게 해볼 수 있는 영역으로 끌어내린 데 있다. 이처럼 수많은 문제의 ‘매뉴얼’을 제공한 미적분학이기에 인류 지성사의 꽃이라 하고 수많은 사람들에게 가르치는 것이다.

미적분학을 공부하는 가장 큰 목적은 이러한 ‘매뉴얼’을 익혀 미적분학이 아니었으면 손도 대지 못했을 수많은 문제를 손쉽게 해결하는 도구를 손에 넣는 것이다. 안타까운 것은 마땅히 쉽게 공부해야 할 미적분학을 어렵게 생각하는 이들이 많다는 것이다. 널리 쓰이는 외국의 미적분학 교재들이 과욕으로 공부하려는 이들을 질리게 하기 때문이다. 미적분학의 원리에 대한 심도 있는 설명, 다채롭고 화려한 그림, 컴퓨터 소프트웨어의

활용, 역사적인 배경……. 그러나 너무 많은 것을 담으려 하면 아무것도 담지 못하는 법이다. 이 책은 '매뉴얼'을 익힌다는 목적에 충실하게 미적분학을 공부할 수 있도록 만들어졌다. 이 책은 각 상황에서 미적분학이 제시하는 '매뉴얼'을 명확하게 확인하고 적용해 볼 수 있도록 하고, 반복적인 훈련을 통하여 이를 몸에 익힐 수 있게 하였다.

이 책에서 다루는 내용은 다변수함수의 미적분이다. 다변수함수의 미적분은 새로운 세계로 들어서는 커다란 전환점이다. 함수를 공부한 이래 함수는 일변수함수의 동의어였다. 다변수함수의 미적분은 이제 익숙하고도 편안한 일변수함수라는 알을 깨고, 더 넓은 세계로 나아갈 것을 주문한다. 낯선 세계와 맞닥뜨려 헤쳐나가는 것은 언제나 쉽지 않은 일이다. 그래서 이 책은 일변수함수의 미적분에 지면을 할애하는 데에는 아낌이 없으면서도 정작 다변수함수의 미적분은 너무나도 소략하게 다루는 기존의 구성을 과감하게 탈피하여 다변수함수의 미적분을 일변수함수보다 더 비중 있게 다루었다. 특히, 가장 낯설 수밖에 없는 벡터장의 선적분과 면적분을 강조하고 이를 계산하는 명확한 '매뉴얼'을 제시하고자 노력하였다.

이 책으로 미적분학이 수많은 문제를 풀 수 있게 하는 '매뉴얼'임을, 그래서 역사에 손꼽는 인류의 위대한 발견임을 느껴 볼 수 있기를 고대한다. 특히, 라그랑주 승수법을 공부한 다음 수학경시대회의 최대값과 최소값 문제를 풀어 보기를 권한다. 미적분학이 왜 그토록 위대한 발견으로 칭송받는지 깨달을 수 있으리라 믿는다. 이 책으로 공부하는 모든 이들이 미적분학의 달인이 되기를 바라 마지않는다.

2021년 10월
김경률

# 차 례

CHAPTER

# 1

# 벡터와 공간도형

## 1.1. 벡터의 연산

크기와 방향을 가지는 양을 **벡터**라 하는데, 벡터는 실수의 순서쌍으로 나타낼 수도 있다. 이렇게 하면 벡터는 점과 다를 바가 없어진다. 이러한 뜻에서 벡터는 점과 구별하지 않고 $A$, $B$, $C$, $\cdots$ 로 나타낸다.

**벡터의 덧셈, 뺄셈과 실수배**

**벡터의 덧셈, 뺄셈** 벡터 $A=(a_1, a_2, \cdots, a_n)$, $B=(b_1, b_2, \cdots, b_n)$에 대하여

$$A \pm B = (a_1 \pm b_1, a_2 \pm b_2, \cdots, a_n \pm b_n)$$

**벡터의 실수배** 벡터 $A=(a_1, a_2, \cdots, a_n)$과 실수 $c$에 대하여

$$cA = (ca_1, ca_2, \cdots, ca_n)$$

**문자로 된 벡터의 계산** 문자로 된 벡터의 계산은 실수처럼 취급하여 간단히 한 다음 대입하면 된다.

**예제 1.** 벡터 $A=(4,0,3)$, $B=(-2,1,5)$에 대하여 $2A+5B$를 구하라.

풀이

$$\begin{aligned} 2A+5B &= (2\cdot 4, 2\cdot 0, 2\cdot 3)+(5\cdot(-2), 5\cdot 1, 5\cdot 5) \\ &= (8,0,6)+(-10,5,25) \\ &= (8-10, 0+5, 6+25) \\ &= (-2,5,31) \end{aligned}$$

### ♣ 확인 문제

벡터 $A$, $B$가 다음과 같을 때, $A-2B$를 구하라.

1. $A=(2,4)$, $B=(3,-1)$
2. $A=(1,2)$, $B=(-3,1)$
3. $A=(2,1,-2)$, $B=(1,3,0)$
4. $A=(3,-1,4)$, $B=(5,1,0)$

**벡터의 내적과 크기**

**벡터의 내적** 벡터 $A=(a_1,a_2,\cdots,a_n)$, $B=(b_1,b_2,\cdots,b_n)$에 대하여

$$A\cdot B=a_1b_1+a_2b_2+\cdots+a_nb_n$$

**벡터의 크기** 벡터 $A=(a_1,a_2,\cdots,a_n)$의 크기는

$$|A|=\sqrt{{a_1}^2+{a_2}^2+\cdots+{a_n}^2}$$

조언 벡터를 내적한 결과는 더 이상 벡터가 아니고 실수이다.

**예제 2.** 다음을 구하라.

(1) $(2,4)\cdot(3,-1)$ (2) $(-1,7,4)\cdot(6,2,-1)$ (3) $|(4,0,3)|$

풀이

$$\begin{aligned}(2,4)\cdot(3,-1) &= 2\cdot 3+4\cdot(-1)=6-4=2\\ (-1,7,4)\cdot(6,2,-1) &= (-1)\cdot 6+7\cdot 2+4\cdot(-1)=-6+14-4=4\\ |(4,0,3)| &= \sqrt{4^2+0^2+3^2}=\sqrt{25}=5\end{aligned}$$

## ♣ 확인 문제

다음을 구하라.

1. $(2,1)\cdot(-3,4)$
2. $(3,1)\cdot(2,4)$
3. $(2,-1,3)\cdot(0,2,-4)$
4. $(2,0,-1)\cdot(0,4,-1)$

벡터 $A$, $B$가 다음과 같을 때, $|5B-2A|$를 구하라.

5. $A=(2,4)$, $B=(3,-1)$
6. $A=(1,2)$, $B=(-3,1)$
7. $A=(2,1,2)$, $B=(1,3,0)$
8. $A=(3,-1,4)$, $B=(5,1,0)$

**내적의 응용**

**두 벡터가 이루는 각의 크기** 두 벡터 $A$, $B$가 이루는 각의 크기를 $\theta$라 하면

$$\cos\theta = \frac{A \cdot B}{|A||B|}$$

**벡터의 정사영** 벡터 $B$를 $A$에 정사영한 벡터는

$$\mathrm{proj}_A(B) = \frac{A \cdot B}{A \cdot A}A$$

**예제 3.** (1) 벡터 $(2,2,-1)$과 $(5,-3,2)$가 이루는 각의 크기를 $\theta$라 할 때, $\cos\theta$를 구하라.
(2) 벡터 $(1,1,2)$를 $(-2,3,1)$에 정사영한 벡터를 구하라.

풀이 (1)

$$\cos\theta = \frac{(2,2,-1)\cdot(5,-3,2)}{|(2,2,-1)||(5,-3,2)|} = \frac{2\cdot 5 + 2\cdot(-3) + (-1)\cdot 2}{\sqrt{2^2+2^2+(-1)^2}\sqrt{5^2+(-3)^2+2^2}} = \frac{2}{3\sqrt{38}}$$

(2)

$$\begin{aligned}\mathrm{proj}_{(-2,3,1)}(1,1,2) &= \frac{(-2,3,1)\cdot(1,1,2)}{(-2,3,1)\cdot(-2,3,1)}(-2,3,1) \\ &= \frac{(-2)\cdot 1 + 3\cdot 1 + 1\cdot 2}{(-2)\cdot(-2) + 3\cdot 3 + 1\cdot 1}(-2,3,1) = \left(-\frac{3}{7}, \frac{9}{14}, \frac{3}{14}\right)\end{aligned}$$

## ♣ 확인 문제

다음 두 벡터가 이루는 각의 크기를 $\theta$라 할 때, $\cos\theta$를 구하라.

1. $(3,-2)$, $(1,1)$
2. $(3,1,-4)$, $(-2,2,1)$

벡터 $A$, $B$가 다음과 같을 때, $\mathrm{proj}_A(B)$를 구하라.

3. $A=(3,4)$, $B=(2,1)$
4. $A=(1,2,2)$, $B=(2,-1,3)$

## 1.1 연습문제

다음을 구하라.

1. $(-1,4)+(6,-2)$

2. $(3,0,1)+(0,8,0)$

벡터 $A$, $B$가 다음과 같을 때, $2A+3B$, $|A-B|$를 구하라.

3. $A=(5,-12)$, $B=(-3,-6)$

4. $A=(1,2,-3)$, $B=(-2,-1,5)$

다음을 구하라.

5. $\left(-2,\frac{1}{3}\right)\cdot(-5,12)$

6. $\left(4,1,\frac{1}{4}\right)\cdot(6,-3,-8)$

7. $(1,-2,3)\cdot(5,0,9)$

다음 두 벡터가 이루는 각의 크기를 $\theta$라 할 때, $\cos\theta$를 구하라.

8. $(4,3)$, $(2,-1)$

9. $(3,-1,5)$, $(-2,4,3)$

10. $(4,-3,1)$, $(2,0,-1)$

벡터 $A$, $B$가 다음과 같을 때, $\text{proj}_A(B)$를 구하라.

11. $A=(-5,12)$, $B=(4,6)$

12. $A=(3,6,-2)$, $B=(1,2,3)$

13. $A=(2,-1,4)$, $B=\left(0,1,\frac{1}{2}\right)$

## 1.2. 직선과 평면의 방정식

직선은 지나는 점과 직선의 진행 방향을 나타내는 벡터, 즉 **방향벡터**를 알면 하나로 결정된다. 좌표공간의 직선은 방정식과 매개변수방정식의 두 가지 방법으로 나타낼 수 있다. 점 $A$, $B$에 대하여 $\overrightarrow{AB} = B - A$로 나타낸다.

**직선의 방정식과 매개변수방정식**

점 $(x_0, y_0, z_0)$를 지나고 방향벡터가 $(a, b, c)$인 직선의 방정식과 매개변수방정식은 각각

$$\frac{x - x_0}{a} = \frac{y - y_0}{b} = \frac{z - z_0}{c}, \qquad x = x_0 + at,\ y = y_0 + bt,\ z = z_0 + ct$$

점 $P$, $Q$를 지나는 직선의 매개변수방정식은

$$(x, y, z) = P + t\overrightarrow{PQ}$$

조언 직선의 방정식에서 분모가 0인 방정식은 (분자) = 0을 나타내는 것으로 생각한다. 예를 들어 $a = 0$이면 직선의 방정식은 $x - x_0 = 0$과 $\frac{y - y_0}{b} = \frac{z - z_0}{c}$가 된다.

**예제 1.** (1) 점 $(5, 1, 3)$을 지나고 방향벡터가 $(1, 4, -2)$인 직선의 방정식을 구하라.
(2) 점 $(2, 4, -3)$, $(3, -1, 1)$을 지나는 직선의 방정식을 구하라.

풀이 (1)

$$\frac{x - 5}{1} = \frac{y - 1}{4} = \frac{z - 3}{-2}$$

(2) $P = (2, 4, -3)$, $Q = (3, -1, 1)$, $\overrightarrow{PQ} = (1, -5, 4)$이므로 직선의 매개변수방정식은 $(x, y, z) = (2, 4, -3) + t(1, -5, 4) = (2 + t, 4 - 5t, -3 + 4t)$이고 직선의 방정식은

$$\frac{x - 2}{1} = \frac{y - 4}{-5} = \frac{z + 3}{4}$$

$*$ $P = (3, -1, 1)$, $Q = (2, 4, -3)$이라 하고 직선의 방정식을 $\frac{x - 3}{-1} = \frac{y + 1}{5} = \frac{z - 1}{-4}$로 구할 수도 있다.

좌표공간의 평면의 방정식은 지나는 점과 평면에 수직인 벡터, 즉 **법선벡터**를 알면 구할 수 있다.

**평면의 방정식**

점 $(x_0, y_0, z_0)$를 지나고 법선벡터가 $(a, b, c)$인 평면의 방정식은

$$a(x - x_0) + b(y - y_0) + c(z - z_0) = 0$$

**예제 2.** 점 $(2, 4, -1)$을 지나고 법선벡터가 $(2, 3, 4)$인 평면의 방정식을 구하라.

풀이

$$2(x-2) + 3(y-4) + 4(z - (-1)) = 0 \iff 2x + 3y + 4z = 12$$

## ♣ 확인 문제

다음 직선의 방정식을 구하라.

1. 점 $(1, 2, -3)$을 지나고 방향벡터가 $(2, -1, 4)$인 직선
2. 점 $(2, 1, 3)$, $(4, 0, 4)$를 지나는 직선

다음 평면의 방정식을 구하라.

3. 점 $(1, 3, 2)$를 지나고 법선벡터가 $(2, -1, 5)$인 평면
4. 점 $(0, -2, -1)$을 지나고 평면 $-2x + 4y = 3$에 평행한 평면

**두 평면이 이루는 각의 크기, 점과 평면 사이의 거리**

**두 평면이 이루는 각의 크기** 두 평면 $a_1x+b_1y+c_1z=d_1$, $a_2x+b_2y+c_2z=d_2$가 이루는 각의 크기를 $\theta$라 하면

$$\cos\theta=\frac{|a_1a_2+b_1b_2+c_1c_2|}{\sqrt{{a_1}^2+{b_1}^2+{c_1}^2}\sqrt{{a_2}^2+{b_2}^2+{c_2}^2}}$$

**점과 평면 사이의 거리** 점 $(x_0,y_0,z_0)$와 평면 $ax+by+cz+d=0$ 사이의 거리는

$$\frac{|ax_0+by_0+cz_0+d|}{\sqrt{a^2+b^2+c^2}}$$

조언 점과 평면 사이의 거리를 구할 때에는 평면의 방정식을 (좌변) $=0$의 꼴로 정리하여야 한다.

**예제 3.** (1) 두 평면 $x+y+z=1$과 $x-2y+3z=1$이 이루는 각의 크기를 $\theta$라 할 때, $\cos\theta$를 구하라.
(2) 평행한 두 평면 $10x+2y-2z=5$와 $5x+y-z=1$ 사이의 거리를 구하라.

풀이 (1)

$$\cos\theta=\frac{|1\cdot1+1\cdot(-2)+1\cdot3|}{\sqrt{1^2+1^2+1^2}\sqrt{1^2+(-2)^2+3^2}}=\frac{2}{\sqrt{42}}$$

(2) 평행한 두 평면 사이의 거리는 한 평면 위의 점과 다른 한 평면 사이의 거리와 같다. 평면 $10x+2y+2z=5$ 위의 점을 하나 구하면 $\left(\frac{1}{2},0,0\right)$이므로 $\left(\frac{1}{2},0,0\right)$과 평면 $5x+y-z-1=0$ 사이의 거리를 구하면

$$\frac{|5\cdot\frac{1}{2}+1\cdot0+(-1)\cdot0+(-1)|}{\sqrt{5^2+1^2+(-1)^2}}=\frac{1}{2\sqrt{3}}$$

## ♣ 확인 문제

다음을 구하라.

1. 점 $(2,0,1)$과 평면 $2x-y+2z=4$ 사이의 거리

2. 평행한 두 평면 $2x-y-z=1$과 $2x-y-z=4$ 사이의 거리

## 1.2 연습문제

다음 직선의 방정식을 구하라.

1. 점 $(2, 2.4, 3.5)$를 지나고 벡터 $(3, 2, -1)$에 평행한 직선
2. 점 $(1, 0, 6)$을 지나고 평면 $x + 3y + z = 5$에 수직인 직선
3. 점 $\left(0, \frac{1}{2}, 1\right)$과 $(2, 1, -3)$을 지나는 직선
4. 점 $(-8, 1, 4)$와 $(3, -2, 4)$를 지나는 직선
5. 점 $(1, -1, 1)$을 지나고 직선 $x + 2 = \frac{y}{2} = z - 3$에 평행한 직선
6. 점 $(1, -5, 6)$을 지나고 $(-1, 2, -3)$에 평행한 직선

다음 평면의 방정식을 구하라.

7. 점 $(6, 3, 2)$를 지나고 벡터 $(-2, 1, 5)$에 수직인 평면
8. 점 $\left(-1, \frac{1}{2}, 3\right)$을 지나고 벡터 $(1, 4, 1)$에 수직인 평면
9. 점 $(1, -1, -1)$을 지나고 평면 $5x - y - z = 6$에 평행한 평면
10. 점 $\left(1, \frac{1}{2}, \frac{1}{3}\right)$을 지나고 평면 $x + y + z = 0$에 평행한 평면

다음 두 평면이 이루는 각의 크기를 구하라.

11. $x + 4y - 3z = 1,\ -3x + 6y + 7z = 0$
12. $x + y + z = 1,\ x - y + z = 1$
13. $x = 4y - 2z,\ 8y = 1 + 2x + 4z$

다음을 구하라.

14. 점 $(1, -2, 4)$와 평면 $3x + 2y + 6z = 5$ 사이의 거리
15. 평행한 평면 $2x - 3y + z = 4$와 $4x - 6y + 2z = 3$ 사이의 거리

## 1.3. 공간벡터의 외적

공간벡터에 대해서는 추가적으로 **외적**이라는 연산을 생각할 수 있다. 외적은 기호

$$\begin{vmatrix} a & b \\ c & d \end{vmatrix} = ad - bc$$

를 쓰면 기억하기 좋다.

**공간벡터의 외적**

공간벡터 $A = (a_1, a_2, a_3)$, $B = (b_1, b_2, b_3)$에 대하여

$$A \times B = \left( \begin{vmatrix} a_2 & a_3 \\ b_2 & b_3 \end{vmatrix}, -\begin{vmatrix} a_1 & a_3 \\ b_1 & b_3 \end{vmatrix}, \begin{vmatrix} a_1 & a_2 \\ b_1 & b_2 \end{vmatrix} \right)$$

조언 외적의 첫째, 둘째, 셋째 성분은 각각

$$\begin{matrix} a_1 & a_2 & a_3 \\ b_1 & b_2 & b_3 \end{matrix}, \quad \begin{matrix} a_1 & a_2 & a_3 \\ b_1 & b_2 & b_3 \end{matrix}, \quad \begin{matrix} a_1 & a_2 & a_3 \\ b_1 & b_2 & b_3 \end{matrix}$$

에서 색칠한(첫째, 둘째, 셋째 세로줄을 제외한) 부분에 | |를 취한 값으로 기억하면 좋다. 단, 둘째 성분에는 $-1$이 곱해진다는 점에 주의하여야 한다.

**예제 1.** 벡터 $(1, 3, 4) \times (2, 7, -5)$를 구하라.

풀이

$$\begin{matrix} 1 & 3 & 4 \\ 2 & 7 & -5 \end{matrix}, \quad \begin{matrix} 1 & 3 & 4 \\ 2 & 7 & -5 \end{matrix}, \quad \begin{matrix} 1 & 3 & 4 \\ 2 & 7 & -5 \end{matrix}$$

에서 색칠한 부분에 | |를 취하되, 둘째 성분에는 $-1$을 곱하면

$$\begin{vmatrix} 3 & 4 \\ 7 & -5 \end{vmatrix} = -43, \qquad -\begin{vmatrix} 1 & 4 \\ 2 & -5 \end{vmatrix} = 13, \qquad \begin{vmatrix} 1 & 3 \\ 2 & 7 \end{vmatrix} = 1$$

따라서

$$(1, 3, 4) \times (2, 7, -5) = (-43, 13, 1)$$

외적은 평면의 방정식이나 넓이, 부피를 구하는 문제에 응용된다.

**외적과 평면의 방정식**

점 $P$, $Q$, $R$을 지나는 평면의 방정식은

$$\overrightarrow{PQ} \times \overrightarrow{PR} \cdot ((x,y,z) - P) = 0$$

**예제 2.** 점 $(1,3,2)$, $(3,-1,6)$, $(5,2,0)$을 지나는 평면의 방정식을 구하라.

풀이 $P = (1,3,2)$, $Q = (3,-1,6)$, $R = (5,2,0)$이므로 $\overrightarrow{PQ} = (2,-4,4)$, $\overrightarrow{PR} = (4,-1,-2)$이고

$$\begin{matrix} 2 & -4 & 4 \\ 4 & -1 & -2 \end{matrix}, \quad \begin{matrix} 2 & -4 & 4 \\ 4 & -1 & -2 \end{matrix}, \quad \begin{matrix} 2 & -4 & 4 \\ 4 & -1 & -2 \end{matrix}$$

에서 색칠한 부분에 $|\quad|$를 취하되, 둘째 성분에는 $-1$을 곱하면

$$\overrightarrow{PQ} \times \overrightarrow{PR} = \left( \begin{vmatrix} -4 & 4 \\ -1 & -2 \end{vmatrix}, -\begin{vmatrix} 2 & 4 \\ 4 & -2 \end{vmatrix}, \begin{vmatrix} 2 & -4 \\ 4 & -1 \end{vmatrix} \right) = (12, 20, 14)$$

따라서 평면의 방정식은

$$(12, 20, 14) \cdot (x-1, y-3, z-2) = 0 \iff 6x + 10y + 7z = 50$$

## ♣ 확인 문제

다음을 구하라.

1. $(1,2,-1) \times (1,0,2)$
2. $(0,1,4) \times (-1,2,-1)$

다음 세 점을 지나는 평면의 방정식을 구하라.

3. $(1,2,2)$, $(2,-1,4)$, $(3,5,-2)$
4. $(2,0,3)$, $(1,1,0)$, $(3,2,-1)$

**외적과 도형의 넓이, 부피**

**평행사변형의 넓이** 평행사변형 $ABCD$의 넓이는

$$|\overrightarrow{AB} \times \overrightarrow{AC}|$$

**삼각형의 넓이** 삼각형 $ABC$의 넓이는

$$\frac{1}{2}|\overrightarrow{AB} \times \overrightarrow{AC}|$$

**평행육면체의 부피** 벡터 $A$, $B$, $C$가 이루는 평행육면체의 부피는

$$|A \cdot (B \times C)|$$

조언 1 평행사변형과 삼각형의 넓이를 구할 때, 주어진 점 가운데 무엇을 $A$, $B$, $C$라 할 것인지는 아무렇게나 정해도 된다.

조언 2 평면의 평행사변형과 삼각형은 각각 $z$좌표가 0인 공간의 평행사변형과 삼각형으로 이해하여 넓이를 구하면 된다.

**예제 3.** (1) 꼭지점이 $(1, 4, 6)$, $(-2, 5, -1)$, $(1, -1, 1)$인 삼각형의 넓이를 구하라.
(2) 벡터 $(1, 2, 3)$, $(4, 5, 6)$, $(7, 8, 0)$이 이루는 평행육면체의 부피를 구하라.

풀이 (1) $A = (1, 4, 6)$, $B = (-2, 5, -1)$, $C = (1, -1, 1)$이므로 $\overrightarrow{AB} = (-3, 1, -7)$, $\overrightarrow{AC} = (0, -5, -5)$이고

$$\begin{matrix} -3 & 1 & -7 \\ 0 & -5 & -5 \end{matrix}, \quad \begin{matrix} -3 & 1 & -7 \\ 0 & -5 & -5 \end{matrix}, \quad \begin{matrix} -3 & 1 & -7 \\ 0 & -5 & -5 \end{matrix}$$

에서 색칠한 부분에 $|\quad|$를 취하되, 둘째 성분에는 $-1$을 곱하면

$$\overrightarrow{AB} \times \overrightarrow{AC} = \left( \begin{vmatrix} 1 & -7 \\ -5 & -5 \end{vmatrix}, -\begin{vmatrix} -3 & -7 \\ 0 & -5 \end{vmatrix}, \begin{vmatrix} -3 & 1 \\ 0 & -5 \end{vmatrix} \right) = (-40, -15, 15)$$

따라서 삼각형의 넓이는

$$\frac{1}{2}|\overrightarrow{AB} \times \overrightarrow{AC}| = \frac{1}{2}|(-40, -15, 15)| = \frac{1}{2}\sqrt{(-40)^2 + (-15)^2 + 15^2} = \frac{5\sqrt{82}}{2}$$

(2) $A = (1,2,3)$, $B = (4,5,6)$, $C = (7,8,0)$ 이므로

$$\begin{matrix} 4 & 5 & 6 \\ 7 & 8 & 0 \end{matrix}, \quad \begin{matrix} 4 & 5 & 6 \\ 7 & 8 & 0 \end{matrix}, \quad \begin{matrix} 4 & 5 & 6 \\ 7 & 8 & 0 \end{matrix}$$

에서 색칠한 부분에 $|\quad|$ 를 취하되, 둘째 성분에는 $-1$ 을 곱하면

$$B \times C = \left( \begin{vmatrix} 5 & 6 \\ 8 & 0 \end{vmatrix}, -\begin{vmatrix} 4 & 6 \\ 7 & 0 \end{vmatrix}, \begin{vmatrix} 4 & 5 \\ 7 & 8 \end{vmatrix} \right) = (-48, 42, -3)$$

따라서 평행육면체의 부피는

$$|A \cdot (B \times C)| = |(1,2,3) \cdot (-48,42,-3)| = |1 \cdot (-48) + 2 \cdot 42 + 3 \cdot (-3)| = 27$$

## ♣ 확인 문제

다음을 구하라.

1. 벡터 $(2,3)$, $(1,4)$ 가 이루는 평행사변형의 넓이
2. 꼭지점이 $(0,0,0)$, $(2,3,-1)$, $(3,-1,4)$ 인 삼각형의 넓이
3. 벡터 $(2,1,0)$, $(-1,2,0)$, $(1,1,2)$ 가 이루는 평행육면체의 부피

## 1.3 연습문제

다음을 구하라.

1. $(6, 0, -2) \times (0, 8, 0)$
2. $(1, 3, -2) \times (-1, 0, 5)$
3. $(1, -1, -1) \times \left(\frac{1}{2}, 1, \frac{1}{2}\right)$
4. $(2, -1, 3) \times (4, 2, 1)$

다음 평면의 방정식을 구하라.

5. 점 $(0, 1, 1)$, $(1, 0, 1)$, $(1, 1, 0)$을 지나는 평면
6. 점 $(3, -1, 2)$, $(8, 2, 4)$, $(-1, -2, -3)$을 지나는 평면
7. 점 $(6, 0, -2)$를 지나고 직선 $x = 4 - 2t$, $y = 3 + 5t$, $z = 7 + 4t$를 포함하는 평면

다음을 구하라.

8. 꼭지점이 $(-2, 1)$, $(0, 4)$, $(4, 2)$, $(2, -1)$인 평행사변형의 넓이
9. 꼭지점이 $(1, 0, 1)$, $(-2, 1, 3)$, $(4, 2, 5)$인 삼각형의 넓이
10. 꼭지점이 $(0, -2, 0)$, $(4, 1, -2)$, $(5, 3, 1)$인 삼각형의 넓이
11. 벡터 $(6, 3, -1)$, $(0, 1, 2)$, $(4, -2, 5)$가 이루는 평행육면체의 부피
12. 점 $P = (-2, 1, 0)$, $Q = (2, 3, 2)$, $R = (1, 4, -1)$, $S = (3, 6, 1)$에 대하여 이웃한 세 변이 $PQ$, $PR$, $PS$인 평행육면체의 부피

CHAPTER

# 2 좌표계와 곡선

2.1. 극좌표계

2.2. 원기둥좌표계와 구면좌표계

2.3. 매개화된 곡선

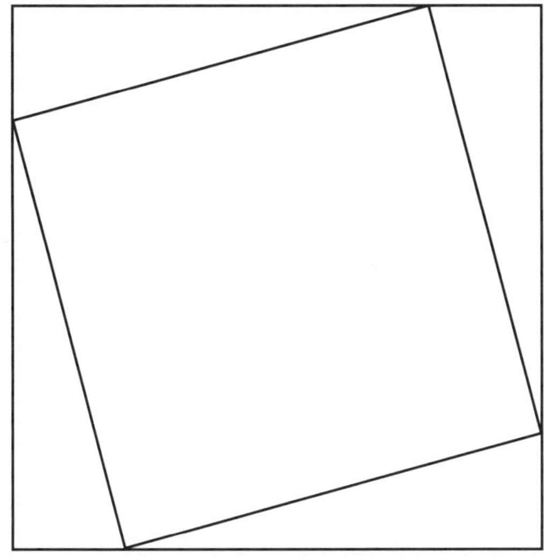

## 2.1. 극좌표계

평면이나 공간의 점을 실수의 순서쌍으로 나타내는 방법을 통틀어 좌표계라 한다. 중학교에서 원점과 $x$축, $y$축을 정해 평면의 점을 실수의 순서쌍으로 나타내어 보았을 것이다. 이를 **직교좌표계**라 한다. 직교좌표계 외에 미적분학에서 자주 사용하는 좌표계로 **극좌표계**, **원기둥좌표계**, **구면좌표계**가 있다. 극좌표계는 평면에서 직교좌표계 대신 쓸 수 있는 좌표계이다.

**극좌표계**

**극좌표계** 평면의 점 $P$를

$$\begin{aligned} r &= (\text{원점 } O\text{와의 거리}) \\ \theta &= (\text{반직선 } OP\text{가 3시 방향을 기준으로 반시계방향으로 회전한 각도}) \end{aligned}$$

라 하고 $(r, \theta)$로 나타내는 방법

**직교좌표로의 변환** 극좌표가 $(r, \theta)$인 점의 직교좌표는

$$(r\cos\theta, r\sin\theta)$$

**예제 1.** (1) 극좌표가 $\left(2, \dfrac{\pi}{3}\right)$인 점의 직교좌표를 구하라.
(2) 직교좌표가 $(1, -1)$인 점의 극좌표를 구하라.

풀이 (1)

$$\left(2\cos\frac{\pi}{3},\ 2\sin\frac{\pi}{3}\right) = (1, \sqrt{3})$$

(2) 직교좌표가 $(1, -1)$인 점 $P$는 원점 $O$와의 거리가 $\sqrt{2}$이고 반직선 $OP$는 3시 방향을 기준으로 반시계방향으로 $\dfrac{7}{4}\pi$만큼 회전한 것이므로 $P$의 극좌표는

$$\left(\sqrt{2},\ \frac{7\pi}{4}\right)$$

직교좌표계에서 곡선 $y = f(x)$라 하면 $x$좌표가 $x$일 때 $y$좌표가 $f(x)$인 점의 집합을 말한다. 극좌표계에서도 곡선 $r = f(\theta)$라 하면 $\theta$좌표가 $\theta$일 때 $r$좌표가 $f(\theta)$인 점의 집합을 뜻한다. 즉, 극좌표계로 나타낸 곡선 $r = f(\theta)$는 원점이 시작점이고 3시 방향을 기준으로 반시계방향으로 회전한 각도가 $\theta$인 반직선 위에서, 원점으로부터 $f(\theta)$만큼 떨어진 점의 집합이다.

**극좌표계로 나타낸 곡선과 넓이**

극좌표계로 나타낸 곡선 $r = f(\theta)$ $(a \leqq \theta \leqq b)$, 원점과 곡선의 양 끝점을 잇는 선분으로 둘러싸인 영역의 넓이는

$$\int_a^b \frac{1}{2} f(\theta)^2 \, d\theta$$

극좌표계로 나타낸 곡선 $r = f(\theta)$와 $r = g(\theta)$가 $\theta = \theta_1, \theta_2$일 때 만나면 두 곡선으로 둘러싸인 영역의 넓이는

$$\left| \int_{\theta_1}^{\theta_2} \frac{1}{2} (f(\theta)^2 - g(\theta)^2) \, d\theta \right|$$

조언 극좌표계에서 $r$은 원칙적으로 양수이어야 하지만 편의상 음수도 허용한다. $r$이 음수이면 원점이 시작점이고 3시 방향을 기준으로 반시계방향으로 회전한 각도가 $\theta$인 반직선의 반대 방향으로 $r$만큼 떨어진 점을 가리킨다.

**예제 2.** 극좌표계로 나타낸 곡선 $r = \cos 2\theta$의 한 고리로 둘러싸인 넓이를 구하라.

풀이 곡선 $r = \cos 2\theta$의 한 고리란 $r = 0$이 되는 여러 $\theta$ 가운데 가장 인접한 두 $\theta$ 사이에 있는 곡선을 말한다. $\cos 2\theta = 0$을 풀면 $\theta = \frac{\pi}{4}, \frac{3}{4}\pi$일 때 $r = 0$이다. $f(\theta) = \cos 2\theta$이므로 넓이는

$$\int_{\pi/4}^{3\pi/4} \frac{1}{2} \cos^2 2\theta \, d\theta = \int_{\pi/4}^{3\pi/4} \frac{1 + \cos 4\theta}{4} \, d\theta = \left[ \frac{1}{4}\theta + \frac{1}{16} \sin 4\theta \right]_{\pi/4}^{3\pi/4} = \frac{\pi}{8}$$

**예제 3.** 극좌표계로 나타낸 곡선 $r = 3\sin\theta$ 의 안쪽에 있고, $r = 1+\sin\theta$ 의 바깥쪽에 있는 영역의 넓이를 구하라.

풀이 직교좌표계로 나타낸 곡선 $y = f(x)$ 와 $y = g(x)$ 의 교점을 구하기 위하여 방정식 $f(x) = g(x)$ 를 풀었듯이, 극좌표계로 나타낸 곡선 $r = f(\theta)$ 와 $r = g(\theta)$ 의 교점을 구하려면 방정식 $f(\theta) = g(\theta)$ 를 풀면 된다. $3\sin\theta = 1 + \sin\theta$ 를 풀면 $\theta = \frac{\pi}{6}$, $\frac{5}{6}\pi$ 이다. $f(\theta) = 3\sin\theta$, $g(\theta) = 1 + \sin\theta$ 이므로

$$\begin{aligned}\frac{1}{2}(f(\theta)^2 - g(\theta)^2) &= \frac{1}{2}((3\sin\theta)^2 - (1+\sin\theta)^2) = 4\sin^2\theta - \sin\theta - \frac{1}{2} \\ &= 4\cdot\frac{1-\cos 2\theta}{2} - \sin\theta - \frac{1}{2} = \frac{3}{2} - 2\cos 2\theta - \sin\theta\end{aligned}$$

따라서 넓이는

$$\left|\int_{\pi/6}^{5\pi/6}\left(\frac{3}{2} - 2\cos 2\theta - \sin\theta\right)d\theta\right| = \left|\left[\frac{3}{2}\theta - \sin 2\theta + \cos\theta\right]_{\pi/6}^{5\pi/6}\right| = |\pi| = \pi$$

## ♣ 확인 문제

다음을 구하라.

1. 극좌표가 각각 $\left(2, -\frac{\pi}{3}\right)$, $(0, 3)$ 인 점의 직교좌표
2. 직교좌표가 각각 $(2, -2)$, $(0, 3)$ 인 점의 극좌표

다음의 넓이를 구하라.

3. $r = \cos 3\theta$ 의 한 고리로 둘러싸인 영역
4. $r = 2\cos\theta$ 로 둘러싸인 영역
5. $r = 3 + 2\sin\theta$ 의 안쪽에 있고, $r = 2$ 의 바깥쪽에 있는 영역
6. $r = 2$ 의 안쪽에 있고, $r = 1 + 2\sin\theta$ 의 바깥쪽에 있는 영역
7. $r = 1 + \cos\theta$ 의 안쪽에 있고, $r = 1$ 의 바깥쪽에 있는 영역

**극좌표계로 나타낸 곡선의 길이**

극좌표계로 나타낸 곡선 $r = f(\theta)$ $(a \leqq \theta \leqq b)$의 길이는

$$\int_a^b \sqrt{f(\theta)^2 + f'(\theta)^2}\, d\theta$$

조언 $\theta$의 범위에 대한 언급이 없으면 곡선이 한 번만 그려지는 범위로 이해하고 곡선의 길이를 구한다.

**예제 4.** 극좌표계로 나타낸 곡선 $r = 1 - \cos\theta$의 길이를 구하라.

풀이 곡선이 한 번만 그려지는 $\theta$의 범위는 $0 \leqq \theta \leqq 2\pi$이다. $f(\theta) = 1 - \cos\theta$이므로 $f'(\theta) = \sin\theta$이고

$$f(\theta)^2 + f'(\theta)^2 = (1 - \cos\theta)^2 + \sin^2\theta = 2 - 2\cos\theta = 4 \cdot \frac{1 - \cos\theta}{2} = 4\sin^2\frac{\theta}{2}$$

$0 \leqq \theta \leqq 2\pi$일 때 $\sin\frac{\theta}{2} \geqq 0$이므로 곡선의 길이는

$$\int_0^{2\pi} \sqrt{4\sin^2\frac{\theta}{2}}\, d\theta = \int_0^{2\pi} 2\sin\frac{\theta}{2}\, d\theta = \left[-4\cos\frac{\theta}{2}\right]_0^{2\pi} = 8$$

## ♣ 확인 문제

다음 곡선의 길이를 구하라.

1. $r = 2 - 2\sin\theta$
2. $r = \cos^4\frac{\theta}{4}$ $(0 \leqq \theta \leqq 4\pi)$

## 2.1 연습문제

다음을 구하라.

1. 극좌표가 $(1, \pi)$ 인 점의 직교좌표
2. 극좌표가 $\left(-2, \dfrac{3\pi}{4}\right)$ 인 점의 직교좌표
3. 직교좌표가 $(2, -2)$ 인 점의 극좌표
4. 직교좌표가 $(-1, \sqrt{3})$ 인 점의 극좌표

다음 곡선과, 원점과 곡선의 양 끝점을 잇는 선분으로 둘러싸인 영역의 넓이를 구하라.

5. $r = \theta^2 \left(0 \leqq \theta \leqq \dfrac{\pi}{4}\right)$
6. $r = \sqrt{9\sin 2\theta} \left(0 \leqq \theta \leqq \dfrac{\pi}{2}\right)$

다음의 넓이를 구하라.

7. $r = \sqrt{\theta}$ 와 $x$축의 양의 부분으로 둘러싸인 영역
8. $r = 4 + 3\sin\theta$ 와 $y$축으로 둘러싸인 한쪽 영역
9. $r = 2\sin\theta$ 로 둘러싸인 영역
10. $r = 3 + 2\cos\theta$ 로 둘러싸인 영역
11. $r = 2 + \sin 4\theta$ 로 둘러싸인 영역
12. $r = \sqrt{1 + \cos^2 5\theta}$ 로 둘러싸인 영역
13. $r = 4\cos 3\theta$ 의 한 고리로 둘러싸인 영역
14. $r = \sin 4\theta$ 의 한 고리로 둘러싸인 영역

다음 곡선의 길이를 구하라.

15. $r = 2\cos\theta \ (0 \leqq \theta \leqq \pi)$
16. $r = \theta^2 \ (0 \leqq \theta \leqq 2\pi)$
17. $r = \cos^4 \dfrac{\theta}{4}$

## 2.2. 원기둥좌표계와 구면좌표계

원기둥좌표계와 구면좌표계는 공간에서 직교좌표계 대신 쓸 수 있는 좌표계이다.

**원기둥좌표계**

**원기둥좌표계** 공간의 점 $P$를

$x$좌표와 $y$좌표는 극좌표계로, $z$좌표는 그대로

나타내는 방법

**직교좌표로의 변환** 원기둥좌표가 $(r, \theta, z)$인 점의 직교좌표는

$$(r\cos\theta, r\sin\theta, z)$$

**예제 1.** (1) 원기둥좌표가 $\left(2, \frac{2\pi}{3}, 1\right)$인 점의 직교좌표를 구하라.
(2) 직교좌표가 $(3, -3, -7)$인 점의 원기둥좌표를 구하라.

풀이 (1)

$$\left(2\cos\frac{2\pi}{3},\ 2\sin\frac{2\pi}{3},\ 1\right) = (-1, \sqrt{3}, 1)$$

(2) 직교좌표가 $(3, -3)$인 점의 극좌표는 $\left(3\sqrt{2},\ \frac{7\pi}{4}\right)$이므로 직교좌표가 $(3, -3, -7)$인 점의 원기둥좌표는

$$\left(3\sqrt{2},\ \frac{7\pi}{4},\ -7\right)$$

### ♣ 확인 문제

다음을 구하라.

1. 원기둥좌표가 $\left(\sqrt{2},\ \frac{3\pi}{4},\ 2\right)$인 점의 직교좌표
2. 직교좌표가 $(2\sqrt{3}, 2, -1)$인 점의 원기둥좌표

**구면좌표계**

**구면좌표계** 공간의 점 $P$를 $xy$평면에 내린 수선의 발을 $P'$라 할 때, $P$를

$$\begin{aligned} \rho &= (\text{원점 } O\text{와의 거리}) \\ \phi &= (\text{반직선 } OP\text{와 } z\text{축의 양의 부분이 이루는 각의 크기}) \\ \theta &= (\text{점 } P'\text{를 극좌표계로 나타내었을 때의 } \theta) \end{aligned}$$

라 하고 $(\rho, \phi, \theta)$로 나타내는 방법

**직교좌표로의 변환** 구면좌표가 $(\rho, \phi, \theta)$인 점의 직교좌표는

$$(\rho \sin\phi \cos\theta, \rho \sin\phi \sin\theta, \rho\cos\phi)$$

**예제 2.** (1) 구면좌표가 $\left(2, \frac{\pi}{3}, \frac{\pi}{4}\right)$인 점의 직교좌표를 구하라.
(2) 직교좌표가 $(0, 2\sqrt{3}, -2)$인 점의 구면좌표를 구하라.

풀이 (1)

$$\left(2\sin\frac{\pi}{3}\cos\frac{\pi}{4},\ 2\sin\frac{\pi}{3}\sin\frac{\pi}{4},\ 2\cos\frac{\pi}{3}\right) = \left(\frac{\sqrt{6}}{2},\ \frac{\sqrt{6}}{2},\ 1\right)$$

(2) 직교좌표가 $(0, 2\sqrt{3}, -2)$인 점은 원점과의 거리가 $\rho = \sqrt{0 + (2\sqrt{3})^2 + (-2)^2} = 4$이고, $z$좌표가 $-2$이므로 $\rho\cos\phi = -2$를 풀면 $\phi = \frac{2}{3}\pi$이며, $x$좌표가 0이므로 $\rho\sin\phi\cos\theta = 0$을 풀면 $\theta = \frac{\pi}{2}$이다. 따라서 이 점의 구면좌표는

$$\left(4, \frac{2\pi}{3}, \frac{\pi}{2}\right)$$

## ♣ 확인 문제

다음을 구하라.

1. 구면좌표가 $(4, 0, \pi)$인 점의 직교좌표
2. 직교좌표가 $(1, 0, \sqrt{3})$인 점의 구면좌표

## 2.2 연습문제

다음을 구하라.

1. 원기둥좌표가 $\left(4, \frac{\pi}{3}, -2\right)$인 점의 직교좌표
2. 원기둥좌표가 $\left(2, -\frac{\pi}{2}, 1\right)$인 점의 직교좌표
3. 직교좌표가 $(-1, 1, 1)$인 점의 원기둥좌표
4. 직교좌표가 $(-2, 2\sqrt{3}, 3)$인 점의 원기둥좌표
5. 구면좌표가 $\left(6, \frac{\pi}{3}, \frac{\pi}{6}\right)$인 점의 직교좌표
6. 구면좌표가 $\left(3, \frac{\pi}{2}, \frac{3\pi}{4}\right)$인 점의 직교좌표
7. 직교좌표가 $(0, -2, 0)$인 점의 구면좌표
8. 직교좌표가 $(-1, 1, -\sqrt{2})$인 점의 구면좌표

직교좌표계의 방정식에 $x = r\cos\theta$, $y = r\sin\theta$를 대입하면 원기둥좌표계의 방정식이 된다. 다음 방정식을 원기둥좌표계의 방정식으로 나타내라.

9. $x^2 - x + y^2 + z^2 = 1$
10. $z = x^2 - y^2$

직교좌표계의 방정식에 $x = \rho\sin\phi\cos\theta$, $y = \rho\sin\phi\sin\theta$, $z = \rho\cos\phi$를 대입하면 구면좌표계의 방정식이 된다. 다음 방정식을 구면좌표계의 방정식으로 나타내라.

11. $z^2 = x^2 + y^2$
12. $x^2 + z^2 = 9$

## 2.3. 매개화된 곡선

시각 $t$에 $x$좌표가 $f(t)$, $y$좌표가 $g(t)$인 평면곡선을 $r(t)=(f(t),g(t))$로 나타내고 **매개화된 곡선** 또는 간단히 곡선이라 한다. 이를 $x=f(t)$, $y=g(t)$로 나타내기도 한다. 이 곡선에 대하여 도함수와 같이

$$r'(t)=(f'(t),g'(t)),\qquad r''(t)=(f''(t),g''(t))$$

로 나타낸다. 공간곡선의 경우도 $z$좌표가 추가되어 $r(t)=(f(t),g(t),h(t))$가 된다는 점을 제외하면 아무런 차이가 없다.

**접선의 매개변수방정식**

곡선 $r(t)$ 위의 점 $r(t_0)$에서의 접선의 매개변수방정식은

$$(x,y,z)=r(t_0)+tr'(t_0)$$

**예제 1.** 곡선 $r(t)=(2\cos t,\sin t,t)$ 위의 점 $\left(0,1,\frac{\pi}{2}\right)$에서의 접선의 매개변수방정식을 구하라.

풀이 $r(t)=\left(0,1,\frac{\pi}{2}\right)$인 $t$가 $\frac{\pi}{2}$이므로

$$r'(t)=(-2\sin t,\cos t,1),\qquad r'\left(\frac{\pi}{2}\right)=(-2,0,1)$$

접선의 매개변수방정식은

$$(x,y,z)=\left(0,1,\frac{\pi}{2}\right)+t(-2,0,1)\iff x=-2t,\ y=1,\ z=\frac{\pi}{2}+t$$

### ♣ 확인 문제

다음 곡선 위의 점에서의 접선의 매개변수방정식을 구하라.

1. $r(t)=(e^t,te^t,te^{t^2}),\quad (1,0,0)$
2. $r(t)=(\sqrt{t^2+3},\ln(t^2+3),t),\quad (2,\ln 4,1)$

**평면곡선의 접선의 방정식**

평면곡선 $r(t) = (f(t), g(t))$ 위의 점 $r(t_0) = (x_0, y_0)$에서의 접선의 방정식은

$$y - y_0 = \frac{g'(t_0)}{f'(t_0)}(x - x_0) \text{ (단, } f'(t_0) \neq 0)$$

**예제 2.** 곡선 $r(t) = (t^2, t^3 - 3t)$ 위의 점 $(3, 0)$에서의 접선의 매개변수방정식과 접선의 방정식을 구하라.

풀이 $r(t) = (3, 0)$인 $t$가 $\pm\sqrt{3}$이므로

$$r'(t) = (2t, 3t^2 - 3), \qquad r'(\pm\sqrt{3}) = (\pm 2\sqrt{3}, 6)$$

접선의 매개변수방정식은

$$(x, y) = (3, 0) + t(\pm 2\sqrt{3}, 6) \iff x = 3 \pm 2\sqrt{3}t,\ y = 6t$$

접선의 방정식은

$$y - 0 = \frac{6}{\pm 2\sqrt{3}}(x - 3) \iff y = \pm\sqrt{3}(x - 3)$$

## ♣ 확인 문제

다음 곡선 위의 점에서의 접선의 방정식을 구하라.

1. $r(t) = (t^2 - 2, t^3 - t), \quad (-1, 0)$
2. $r(t) = (2\cos t, 3\sin t), \quad (0, 3)$
3. $r(t) = (t\cos t, t\sin t), \quad (\pi, 0)$

**평면곡선과 $x$축 사이의 넓이**

평면곡선 $r(t) = (f(t), g(t))$ $(a \leqq t \leqq b)$와 $x$축 사이의 넓이는

$$\left| \int_a^b g(t)f'(t)\,dt \right| \quad (\text{단, } g(t) \geqq 0)$$

조언 위 공식은 평면곡선 $r(t) = (f(t), g(t))$ $(a \leqq t \leqq b)$로 둘러싸인 영역의 넓이를 구할 때에도 쓸 수 있다. 이 경우에는 $g(t) \geqq 0$이 성립하지 않아도 무방하다.

**예제 3.** 곡선 $r(t) = (t - \sin t, 1 - \cos t)$ $(0 \leqq t \leqq 2\pi)$와 $x$축 사이의 넓이를 구하라.

풀이 $f(t) = t - \sin t,\ g(t) = 1 - \cos t,\ f'(t) = 1 - \cos t$이므로

$$g(t)f'(t) = (1 - \cos t)(1 - \cos t) = 1 - 2\cos t + \cos^2 t = 1 - 2\cos t + \frac{1 + \cos 2t}{2}$$

따라서 넓이는

$$\left| \int_0^{2\pi} \left( 1 - 2\cos t + \frac{1 + \cos 2t}{2} \right) dt \right| = \left| \left[ \frac{3}{2}t - 2\sin t + \frac{1}{4}\sin 2t \right]_0^{2\pi} \right| = |3\pi| = 3\pi$$

## ♣ 확인 문제

다음 곡선으로 둘러싸인 영역의 넓이를 구하라.

1. $r(t) = (3\cos t, 2\sin t)$
2. $r(t) = \left( \frac{1}{2}\cos t - \frac{1}{4}\cos 2t,\ \frac{1}{2}\sin t - \frac{1}{4}\sin 2t \right)$
3. $r(t) = (\cos t, \sin 2t)$ $\left( \frac{\pi}{2} \leqq t \leqq \frac{3}{2}\pi \right)$
4. $r(t) = (t^3 - 4t, t^2 - 3)$ $(-2 \leqq t \leqq 2)$

**곡선의 길이**

곡선 $r(t)$ $(a \leqq t \leqq b)$ 의 길이는

$$\int_a^b |r'(t)|\, dt$$

**예제 4.** 다음 곡선의 길이를 구하라. (단, $0 \leqq t \leqq 2\pi$)

(1) $r(t) = (t - \sin t, 1 - \cos t)$ (2) $r(t) = (\cos t, \sin t, t)$

풀이 (1) $r'(t) = (1 - \cos t, \sin t)$ 이고 $0 \leqq t \leqq 2\pi$ 일 때 $\sin \dfrac{t}{2} \geqq 0$ 이므로

$$|r'(t)| = \sqrt{(1-\cos t)^2 + \sin^2 t} = \sqrt{2 - 2\cos t} = \sqrt{4 \cdot \frac{1-\cos t}{2}} = \sqrt{4\sin^2 \frac{t}{2}} = 2\sin\frac{t}{2}$$

따라서 길이는

$$\int_0^{2\pi} 2\sin\frac{t}{2}\, dt = \left[-4\cos\frac{t}{2}\right]_0^{2\pi} = 8$$

(2) $r'(t) = (-\sin t, \cos t, 1)$ 이므로

$$|r'(t)| = \sqrt{(-\sin t)^2 + \cos^2 t + 1^2} = \sqrt{2}$$

따라서 길이는

$$\int_0^{2\pi} \sqrt{2}\, dt = \left[\sqrt{2}t\right]_0^{2\pi} = 2\sqrt{2}\pi$$

## ♣ 확인 문제

다음 곡선의 길이를 구하라.

1. $r(t) = (1 - 2\cos t, 2 + 2\sin t)$

2. $r(t) = (\cos 4t, \sin 4t)$

3. $r(t) = (\sin t\cos t, \sin^2 t)$ $\left(0 \leqq t \leqq \dfrac{\pi}{2}\right)$

4. $r(t) = (e^{2t} + e^{-2t}, 4t)$ $(0 \leqq t \leqq 4)$

**회전체의 겉넓이**

평면곡선 $r(t) = (f(t), g(t))$를 $x$축 둘레로 회전시킨 회전체의 겉넓이는

$$2\pi \int_a^b |g(t)| \sqrt{f'(t)^2 + g'(t)^2}\, dt$$

$y$축 둘레로 회전시킨 회전체의 겉넓이는

$$2\pi \int_a^b |f(t)| \sqrt{f'(t)^2 + g'(t)^2}\, dt$$

**예제 5.** 곡선 $r(t) = (\cos t, \sin t)$ $(0 \leqq t \leqq \pi)$를 $x$축 둘레로 회전시킨 회전체의 겉넓이를 구하라.

풀이 $f(t) = \cos t$, $g(t) = \sin t$이므로 $f'(t) = -\sin t$, $g'(t) = \cos t$이고, $0 \leqq t \leqq \pi$일 때 $\sin t \geqq 0$이므로

$$|g(t)| \sqrt{f'(t)^2 + g'(t)^2} = |\sin t| \sqrt{(-\sin t)^2 + (\cos t)^2} = \sin t$$

따라서 겉넓이는

$$2\pi \int_0^\pi \sin t\, dt = 2\pi \Big[ -\cos t \Big]_0^\pi = 4\pi$$

## ♣ 확인 문제

다음 곡면의 겉넓이를 구하라.

1. 곡선 $r(t) = (3t - t^3, 3t^2)$ $(0 \leqq t \leqq 1)$을 $x$축 둘레로 회전시킨 회전체
2. 곡선 $r(t) = (e^t - t, 4e^{t/2})$ $(0 \leqq t \leqq 1)$을 $y$축 둘레로 회전시킨 회전체

**곡선의 곡률**

**공간곡선의 곡률** 공간곡선 $r(t)$ 의 곡률은

$$\frac{|r'(t)\times r''(t)|}{|r'(t)|^3}$$

**평면곡선의 곡률** 평면곡선 $r(t)=(f(t),g(t))$ 의 곡률은 $z$ 성분이 0 인 공간곡선 $\widetilde{r}(t)=(f(t),g(t),0)$ 으로 이해하여 곡률을 구한다.

**예제 6.** 곡선 $r(t)=(t,t^2,t^3)$ 위의 점 $(0,0,0)$ 에서의 곡률을 구하라.

풀이 $r'(t)=(1,2t,3t^2)$, $r''(t)=(0,2,6t)$, $r'(t)\times r''(t)=(6t^2,-6t,2)$ 이므로 곡률은

$$\frac{|r'(t)\times r''(t)|}{|r'(t)|^3}=\frac{2\sqrt{9t^4+9t^2+1}}{(1+4t^2+9t^4)^{3/2}}$$

$r(t)=(0,0,0)$ 인 $t$ 가 0 이므로 $(0,0,0)$ 에서의 곡률은

$$\frac{2\sqrt{9\cdot 0^4+9\cdot 0^2+1}}{(1+4\cdot 0^2+9\cdot 0^4)^{3/2}}=2$$

* 위와 같이 한 점에서의 곡률을 구할 때에는 $r'(t)$, $r''(t)$ 에 $t=0$ 을 먼저 대입하여 $r'(0)\times r''(0)$ 과 곡률을 구하는 것이 계산이 간단하다.

## ♣ 확인 문제

다음 곡선의 곡률을 구하라.

1. $r(t)=(t,t,1+t^2)$
2. $r(t)=(e^t\cos t,e^t\sin t,t)$

다음 곡선 위의 점에서의 곡률을 구하라.

3. $r(t)=(\cos t,\sin t,\sin 5t)$, $(1,0,0)$
4. $r(t)=(\sinh t,\cosh t,t)$, $(0,1,0)$

**그래프의 곡률**

곡선 $y = f(x)$의 곡률은

$$\frac{|f''(x)|}{(1+f'(x)^2)^{3/2}}$$

**예제 7.** 포물선 $y = x^2$ 위의 점 $(0,0)$, $(1,1)$, $(2,4)$에서의 곡률을 구하라.

풀이 $f(x) = x^2$, $f'(x) = 2x$, $f''(x) = 2$이므로 곡률은

$$\frac{|f''(x)|}{(1+f'(x)^2)^{3/2}} = \frac{2}{(1+4x^2)^{3/2}}$$

$(x, f(x)) = (0,0)$, $(1,1)$, $(2,4)$인 $x$가 각각 0, 1, 2이므로 세 점에서의 곡률은 각각

$$\frac{2}{(1+4\cdot 0^2)^{3/2}} = 2, \qquad \frac{2}{(1+4\cdot 1^2)^{3/2}} = \frac{2}{5\sqrt{5}}, \qquad \frac{2}{(1+4\cdot 2^2)^{3/2}} = \frac{2}{17\sqrt{17}}$$

## ♣ 확인 문제

다음 곡선의 곡률을 구하라.

1. $y = \tan x$
2. $y = e^x$
3. $y = \ln x$

## 2.3 연습문제

다음 $t$의 값에 대응하는 점에서 곡선에 접하는 직선의 방정식을 구하라.

1. $r(t) = (t^4 + 1, t^3 + t), \quad t = -1$
2. $r(t) = (t\cos t, t\sin t), \quad t = \pi$

다음 곡선 위의 점에서의 접선의 방정식을 구하라.

3. $r(t) = (1 + \ln t, t^2 + 2), \quad (1, 3)$
4. $r(t) = (6\sin t, t^2 + t), \quad (0, 0)$

다음을 구하라.

5. $r(t) = (a\cos t, b\sin t)$로 둘러싸인 영역의 넓이
6. $r(t) = (1 + e^t, t - t^2)$과 $x$축으로 둘러싸인 영역의 넓이

다음 곡선의 길이를 구하라.

7. $r(t) = (1 + 3t^2, 4 + 2t^3)$ $(0 \leqq t \leqq 1)$
8. $r(t) = (t\sin t, t\cos t)$ $(0 \leqq t \leqq 1)$
9. $r(t) = (e^t\cos t, e^t\sin t)$ $(0 \leqq t \leqq \pi)$
10. $r(t) = (\sin^2 t, \cos^2 t)$ $(0 \leqq t \leqq \pi)$

다음 곡면의 겉넓이를 구하라.

11. $r(t) = (t^3, t^2)$ $(0 \leqq t \leqq 1)$을 $x$축 둘레로 회전시킨 회전체
12. $r(t) = (a\cos^3 t, a\sin^3 t)$ $\left(0 \leqq t \leqq \dfrac{\pi}{2}\right)$를 $x$축 둘레로 회전시킨 회전체
13. $r(t) = (3t^2, 2t^3)$ $(0 \leqq t \leqq 5)$을 $y$축 둘레로 회전시킨 회전체

다음 곡선 위의 점에서의 접선의 매개변수방정식을 구하라.

14. $r(t) = (1 + 2\sqrt{t}, t^3 - t, t^3 + t), \quad (3, 0, 2)$

15. $r(t) = (e^{-t}\cos t, e^{-t}\sin t, e^{-t}), \quad (1, 0, 1)$

16. $r(t) = (t, e^{-t}, 2t - t^2), \quad (0, 1, 0)$

17. $r(t) = (t\cos t, t, t\sin t), \quad (-\pi, \pi, 0)$

다음 곡선의 길이를 구하라.

18. $r(t) = (t, 3\cos t, 3\sin t)\ (-5 \leqq t \leqq 5)$

19. $r(t) = (\sqrt{2}t, e^t, e^{-t})\ (0 \leqq t \leqq 1)$

20. $r(t) = (1, t^2, t^3)\ (0 \leqq t \leqq 1)$

다음 곡선의 곡률을 구하라.

21. $r(t) = (t, 3\cos t, 3\sin t)$

22. $r(t) = (\sqrt{2}t, e^t, e^{-t})$

23. $r(t) = (0, t^3, t^2)$

24. $r(t) = (3t, 4\sin t, 4\cos t)$

25. $r(t) = (\sinh t, \cosh t, t)$

26. $r(t) = (t^2, t^3)$

27. $r(t) = (e^t\cos t, e^t\sin t)$

다음 곡선의 곡률을 구하라.

28. $y = x^4$

29. $y = \sin x$

30. $y = xe^x$

CHAPTER

# 3

# 다변수함수의 미분



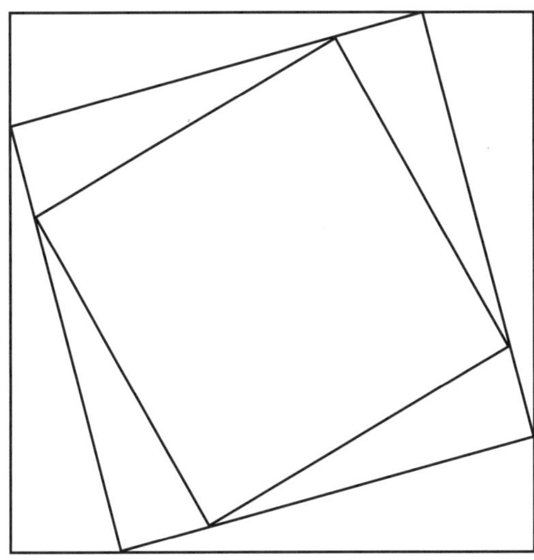

## 3.1. 극한과 연속

일변수함수 $f(x)$에 대하여 $x$가 $a$에 한없이 가까워질 때 $f(x)$가 $L$에 한없이 가까워지면 $\lim_{x\to a} f(x) = L$로 나타내었다. 이변수함수 $f(x,y)$에 대해서도 $(x,y)$가 $(a,b)$에 한없이 가까워질 때 $f(x,y)$가 $L$에 한없이 가까워지면

$$\lim_{(x,y)\to(a,b)} f(x,y) = L$$

로 나타낸다. 삼변수 이상의 함수에 대해서도 마찬가지로 정의한다.

**0/0 꼴의 다변수함수의 극한**

**1단계** 분자의 차수와 분모의 차수를 비교한다.

**2단계**
1. (분자의 차수) > (분모의 차수) 일 때: 함수값의 절대값에 적당한 부등식을 세워 극한값이 0임을 보인다.
2. (분자의 차수) ≦ (분모의 차수) 일 때: 점 $(a,b)$로 접근할 때 극한값이 다른 두 경로를 찾아 극한이 존재하지 않음을 보인다.

**예제 1.** 극한 $\displaystyle\lim_{(x,y)\to(0,0)} \frac{xy^2}{x^2+y^4}$ 이 존재하면 구하라.

1단계 (분자의 차수) = 3, (분모의 차수) = 4이다.

2단계 (분자의 차수) ≦ (분모의 차수)이므로 $(0,0)$으로 접근할 때 극한값이 다른 두 경로를 찾는다. $x$축을 따라 $(0,0)$에 접근하면

$$\lim_{x\to 0} f(x,0) = \lim_{x\to 0} \frac{x\cdot 0^2}{x^2+0^4} = 0$$

$y$축을 따라 $(0,0)$에 접근하면 역시 0이므로 다른 경로를 찾아야 한다. $x=y^2$을 따라 $(0,0)$에 접근하면

$$\lim_{y\to 0} f(y^2,y) = \lim_{y\to 0} \frac{y^2y^2}{(y^2)^2+y^4} = \frac{1}{2}$$

$(0,0)$으로 접근하는 두 경로를 따른 극한값이 다르므로 극한은 존재하지 않는다.

**예제 2.** 극한 $\lim_{(x,y)\to(0,0)} \frac{3x^2y}{x^2+y^2}$ 가 존재하면 구하라.

1단계 (분자의 차수) $= 3$, (분모의 차수) $= 2$이다.

2단계 (분자의 차수) $>$ (분모의 차수)이므로 함수값의 절대값에 적당한 부등식을 세워 극한값이 0임을 보인다.

$$|f(x,y)| = \frac{3|x|^2|y|}{x^2+y^2}$$

에서 $|x|, |y| \leqq \sqrt{x^2+y^2}$이므로 분자의 $|x|, |y|$를 $\sqrt{x^2+y^2}$으로 바꾸면

$$\frac{3|x|^2|y|}{x^2+y^2} \leqq \frac{3(x^2+y^2)^{3/2}}{x^2+y^2} = 3\sqrt{x^2+y^2}$$

$\lim_{(x,y)\to(0,0)} 3\sqrt{x^2+y^2} = 0$이므로 $\lim_{(x,y)\to(0,0)} f(x,y) = 0$

∗ 대체로 분모가 $ax^2+by^2$ (단, $a$, $b > 0$)과 같이 $x = y = 0$일 때를 제외하면 0이 아닌데 이 경우 부등식

$$|x| \leqq \frac{\sqrt{ax^2+by^2}}{\sqrt{a}}, \qquad |y| \leqq \frac{\sqrt{ax^2+by^2}}{\sqrt{b}}$$

이 분모를 약분하는 데 매우 유용하다.

## ♣ 확인 문제

다음 극한이 존재하면 구하라.

1. $\lim_{(x,y)\to(0,0)} \frac{4xy}{3y^2-x^2}$
2. $\lim_{(x,y)\to(0,0)} \frac{2x^2y}{x^4+y^2}$
3. $\lim_{(x,y)\to(0,0)} \frac{x^{1/3}y^2}{x+y^3}$
4. $\lim_{(x,y)\to(0,0)} \frac{2x^2\sin y}{2x^2+y^2}$
5. $\lim_{(x,y)\to(0,0)} \frac{x^3+4x^2+2y^2}{2x^2+y^2}$
6. $\lim_{(x,y,z)\to(0,0,0)} \frac{3x^3}{x^2+y^2+z^2}$

일변수함수 $f(x)$가 $\lim_{x\to a} f(x) = f(a)$를 만족하면 $x = a$에서 연속이라 하였다. 이변수함수 $f(x,y)$가

$$\lim_{(x,y)\to(a,b)} f(x,y) = f(a,b)$$

를 만족하면 $(a,b)$에서 **연속**이라 한다. 삼변수 이상의 함수에 대해서도 마찬가지로 정의한다. 따라서 다변수함수의 연속성은 극한이 존재하는지, 존재한다면 극한값이 함수값과 같은지 확인하여 조사할 수 있다.

**예제 3.** 함수

$$f(x,y) = \begin{cases} \dfrac{x^3+y^3}{x^2+y^2} & (x,y) \neq (0,0) \\ 0 & (x,y) = (0,0) \end{cases}$$

이 원점에서 연속인지 조사하라.

풀이 $\lim_{(x,y)\to(0,0)} \dfrac{x^3+y^3}{x^2+y^2}$을 구하면 된다. (분자의 차수) $= 3$, (분모의 차수) $= 2$이므로 (분자의 차수) $>$ (분모의 차수)이다. 따라서 함수값의 절대값에 적당한 부등식을 세워 극한값이 $0$임을 보인다.

$$|f(x,y)| = \frac{|x^3+y^3|}{x^2+y^2} \leqq \frac{|x|^3+|y|^3}{x^2+y^2}$$

에서 $|x|, |y| \leqq \sqrt{x^2+y^2}$이므로 분자의 $|x|, |y|$를 $\sqrt{x^2+y^2}$으로 바꾸면

$$\frac{|x|^3+|y|^3}{x^2+y^2} \leqq \frac{2(x^2+y^2)^{3/2}}{x^2+y^2} = 2\sqrt{x^2+y^2}$$

$\lim_{(x,y)\to(0,0)} 2\sqrt{x^2+y^2} = 0$이므로 $\lim_{(x,y)\to(0,0)} f(x,y) = 0$이고 원점에서 연속

## ♣ 확인 문제

원점에서는 0이고 원점이 아닌 점에서는 다음과 같은 함수가 원점에서 연속인지 조사하라.

1. $f(x,y) = \dfrac{3x^2}{x^2+y^2}$
2. $f(x,y) = \dfrac{xy^2}{x^2+y^2}$

## 3.1 연습문제

다음 극한이 존재하면 구하라.

1. $\displaystyle\lim_{(x,y)\to(0,0)} \frac{x^4-4y^2}{x^2+2y^2}$

2. $\displaystyle\lim_{(x,y)\to(0,0)} \frac{xy\cos y}{3x^2+y^2}$

3. $\displaystyle\lim_{(x,y)\to(0,0)} \frac{xy}{\sqrt{x^2+y^2}}$

4. $\displaystyle\lim_{(x,y)\to(0,0)} \frac{x^2ye^y}{x^4+4y^2}$

5. $\displaystyle\lim_{(x,y)\to(0,0)} \frac{x^2+y^2}{\sqrt{x^2+y^2+1}-1}$

6. $\displaystyle\lim_{(x,y,z)\to(0,0,0)} \frac{xy+yz^2+xz^2}{x^2+y^2+z^4}$

다음 함수가 원점에서 연속인지 조사하라.

7. $f(x,y)=\begin{cases}\dfrac{x^2-y^2}{x^2+y^2} & (x,y)\neq(0,0)\\ 0 & (x,y)=(0,0)\end{cases}$

8. $f(x,y)=\begin{cases}\dfrac{x^2y^3}{2x^2+y^2} & (x,y)\neq(0,0)\\ 0 & (x,y)=(0,0)\end{cases}$

9. $f(x,y)=\begin{cases}\dfrac{xy}{x^2+xy+y^2} & (x,y)\neq(0,0)\\ 0 & (x,y)=(0,0)\end{cases}$

10. $f(x,y)=\begin{cases}\dfrac{x^3y-xy^3}{x^2+y^2} & (x,y)\neq(0,0)\\ 0 & (x,y)=(0,0)\end{cases}$

## 3.2. 편미분

다변수함수의 어느 한 변수를 제외한 나머지 변수를 상수로 취급하고 미분한 함수를 **편도함수**라 한다. 예를 들어 이변수함수 $f(x,y)$의 편도함수는

$$\begin{aligned} f_x &= (y\text{를 상수로 취급하고 } f(x,y)\text{를 } x\text{로 미분한 함수}) \\ f_y &= (x\text{를 상수로 취급하고 } f(x,y)\text{를 } y\text{로 미분한 함수}) \end{aligned}$$

이다. 편도함수를 구하는 것을 편미분한다고 한다.

**예제 1.** 함수 $f(x,y) = \sin\dfrac{x}{1+y}$를 편미분하라.

풀이 $y$를 상수로 취급하고 $x$로 미분하면

$$f_x = \cos\frac{x}{1+y}\cdot\left(\frac{x}{1+y}\right)_x = \cos\frac{x}{1+y}\cdot\frac{1}{1+y} = \frac{1}{1+y}\cos\frac{x}{1+y}$$

$x$를 상수로 취급하고 $y$로 미분하면

$$f_y = \cos\frac{x}{1+y}\cdot\left(\frac{x}{1+y}\right)_y = \cos\frac{x}{1+y}\cdot\left(-\frac{x}{(1+y)^2}\right) = -\frac{x}{(1+y)^2}\cos\frac{x}{1+y}$$

### ♣ 확인 문제

다음 함수를 편미분하라.

1. $f(x,y) = x^3 - 4xy^2 + y^4$
2. $f(x,y) = x^2\sin xy - 3y^3$
3. $f(x,y) = 4e^{x/y} + \arctan\dfrac{y}{x}$
4. $f(x,y) = \displaystyle\int_x^y \sin t^2\,dt$

편도함수를 다시 편미분한 함수를 **이계편도함수**라 한다. 예를 들어 이변수함수 $f(x, y)$의 이계편도함수는

$$\begin{aligned} f_{xx} &= (f_x \text{를 } x \text{로 편미분한 함수}) \\ f_{xy} &= (f_x \text{를 } y \text{로 편미분한 함수}) \\ f_{yx} &= (f_y \text{를 } x \text{로 편미분한 함수}) \\ f_{yy} &= (f_y \text{를 } y \text{로 편미분한 함수}) \end{aligned}$$

이다. 대부분의 경우 편미분의 순서는 중요하지 않다. 예를 들어 $x$로 편미분한 다음 $y$로 편미분하나, $y$로 편미분한 다음 $x$로 편미분하나 그 결과는 같다. 즉, $f_{xy} = f_{yx}$이다. 따라서 편미분의 순서만 다른 이계편도함수는 어느 하나만 계산하면 된다.

**예제 2.** 함수 $f(x, y) = x^3 + x^2y^3 - 2y^2$의 이계편도함수를 구하라.

풀이 편도함수는

$$f_x = 3x^2 + 2xy^3, \qquad f_y = 3x^2y^2 - 4y$$

각각 다시 $x$, $y$로 편미분하면

$$f_{xx} = 6x + 2y^3, \qquad f_{xy} = 6xy^2, \qquad f_{yy} = 6x^2y - 4$$

## ♣ 확인 문제

다음 편도함수를 구하라.

1. $f(x, y) = x^3 - 4xy^2 + 3y$, $f_{xx}$, $f_{xy}$, $f_{yy}$
2. $f(x, y) = \ln x^4 - 3x^2y^3 + 5x \arctan y$, $f_{xx}$, $f_{xy}$, $f_{xyy}$
3. $f(x, y, z) = \arcsin xy - \sin yz$, $f_{xx}$, $f_{yz}$, $f_{xyz}$
4. $f(w, x, y, z) = w^2 \arctan xy - e^{wz}$, $f_{ww}$, $f_{wxy}$, $f_{wwxyz}$

## 3.2 연습문제

다음 함수를 편미분하라.

1. $f(x,y) = y^5 - 3xy$
2. $f(x,y) = e^{-y}\cos \pi x$
3. $f(x,y) = (2x+3y)^{10}$
4. $f(x,y) = \dfrac{x}{y}$
5. $f(x,y) = (x^2y - y^3)^5$
6. $f(x,y) = \sin x \cos y$
7. $f(x,y) = \displaystyle\int_y^x \cos e^t \, dt$
8. $f(x,y,z) = xz - 5x^2y^3z^4$
9. $f(x,y,z) = \ln(x+2y+3z)$
10. $f(x,y,z) = xy \arcsin yz$
11. $f(x,y,z,w) = x^2 y \cos \dfrac{z}{w}$

다음 함수의 이계편도함수를 구하라.

12. $f(x,y) = x^3y^5 + 2x^4y$
13. $f(x,y) = \sqrt{x^2+y^2}$
14. $f(x,y) = \arctan \dfrac{x+y}{1-xy}$

## 3.3. 연쇄법칙

$$z = x^2y + 3xy^4, \qquad x = \sin 2t, \qquad y = \cos t$$

일 때, $z$를 $t$로 미분한 함수 $\dfrac{dz}{dt}$를 구하는 방법을 생각하자. 단순하게 생각하면 $x = \sin 2t$, $y = \cos t$를 $z$의 관계식에 대입하여 구하면 되겠지만, 계산이 지나치게 복잡해질 수 있다. **연쇄법칙**을 쓰면 이를 보다 쉽게 구할 수 있다.

**연쇄법칙 (1)**

위의 상황에서

$$\frac{dz}{dt} = \frac{\partial z}{\partial x}\frac{dx}{dt} + \frac{\partial z}{\partial y}\frac{dy}{dt}$$

조언 1 연쇄법칙은 일변수함수의 합성함수의 미분법에 대응되는 다변수함수의 미분법이다. 합성함수의 미분법에서 한 문자로 본 함수의 도함수를 뒤에 곱하듯이, 연쇄법칙도 $x$를 한 문자로 보고 편미분한 다음 한 문자로 본 $x$를 $t$로 미분한 함수를 곱한다. 유일한 차이는 $z$가 $x, y$의 함수이므로 같은 계산을 $y$에 대해서도 하고 더한다는 것뿐이다.

조언 2 $f(x,y) = x^2y + 3xy^4$과 달리 $z = x^2y + 3xy^4$에는 함수의 이름이 드러나 있지 않다. 이처럼 변수만 있을 때에는 보통 $z$를 $x$로 편미분한 함수, $x$로 두 번 편미분한 함수, $x$로 편미분한 다음 $y$로 편미분한 함수 등을 각각 $\dfrac{\partial z}{\partial x}, \dfrac{\partial^2 z}{\partial x^2}, \dfrac{\partial^2 z}{\partial y \partial x}$ 등으로 나타낸다.

**예제 1.**

$$z = x^2y + 3xy^4, \qquad x = \sin 2t, \qquad y = \cos t$$

이다. $t = 0$일 때 $\dfrac{dz}{dt}$를 구하라.

풀이

$$\begin{aligned}\frac{dz}{dt} &= \frac{\partial z}{\partial x}\frac{dx}{dt} + \frac{\partial z}{\partial y}\frac{dy}{dt} \\ &= (2xy + 3y^4)(2\cos 2t) + (x^2 + 12xy^3)(-\sin t)\end{aligned}$$

$t = 0$일 때 $x = 0$, $y = 1$이므로 $t = 0$일 때 $\dfrac{dz}{dt} = 3 \cdot 2 + 0 \cdot 0 = 6$

이번에는

$$z = e^x \sin y, \qquad x = st^2, \qquad y = s^2 t$$

일 때, $z$를 $s$로 편미분한 함수 $\dfrac{\partial z}{\partial s}$를 구하는 방법을 생각하자. 역시 $x = st^2$, $y = st^2$을 $z$의 관계식에 대입하여 구할 수 있지만, 연쇄법칙을 쓰는 것이 대개 보다 간단하다.

**연쇄법칙 (2)**

위의 상황에서

$$\frac{\partial z}{\partial s} = \frac{\partial z}{\partial x}\frac{\partial x}{\partial s} + \frac{\partial z}{\partial y}\frac{\partial y}{\partial s}, \qquad \frac{\partial z}{\partial t} = \frac{\partial z}{\partial x}\frac{\partial x}{\partial t} + \frac{\partial z}{\partial y}\frac{\partial y}{\partial t}$$

조언 역시 $x$를 한 문자로 보고 편미분한 다음 한 문자로 본 $x$를 $s$로 편미분한 함수를 뒤에 곱하며, $z$가 $x, y$의 함수이므로 같은 계산을 $y$에 대해서도 하고 더한다. 앞의 연쇄법칙과의 차이는 $x, y$가 $s, t$의 함수이므로 미분이 편미분으로 바뀐다는 것뿐이다.

**예제 2.**

$$z = e^x \sin y, \qquad x = st^2, \qquad y = s^2 t$$

일 때, $\dfrac{\partial z}{\partial s}, \dfrac{\partial z}{\partial t}$를 구하라.

풀이

$$\frac{\partial z}{\partial s} = \frac{\partial z}{\partial x}\frac{\partial x}{\partial s} + \frac{\partial z}{\partial y}\frac{\partial y}{\partial s} = e^x \sin y \cdot t^2 + e^x \cos y \cdot 2st$$

$$\frac{\partial z}{\partial t} = \frac{\partial z}{\partial x}\frac{\partial x}{\partial t} + \frac{\partial z}{\partial y}\frac{\partial y}{\partial t} = e^x \sin y \cdot 2st + e^x \cos y \cdot s^2$$

* 원칙대로라면 위 식에 $x = st^2$, $y = s^2t$를 대입하여 $s, t$만의 식으로 나타내어야 하지만 지나치게 복잡하므로 연쇄법칙을 쓸 때에는 대개 생략한다.

## ♣ 확인 문제

다음을 구하라.

1. $z = x^2 y - \sin y$, $x = \sqrt{t^2+1}$, $y = e^t$ 일 때 $\dfrac{dz}{dt}$
2. $z = 4x^2 y^3$, $x = u^3 - v\sin u$, $y = 4u^2$ 일 때 $\dfrac{\partial z}{\partial v}$

연쇄법칙은 구체적인 꼴을 모르는 함수가 포함되어 있는 함수를 편미분하는 데에도 매우 유용하다.

**예제 3.**

$$z = f(x,y), \qquad x = r^2 + s^2, \qquad y = 2rs$$

일 때, $\frac{\partial z}{\partial r}, \frac{\partial^2 z}{\partial r^2}$을 구하라. 여기에서 $f_{xy} = f_{yx}$라 가정한다.

풀이 $\frac{\partial z}{\partial r}$은

$$\frac{\partial z}{\partial r} = \frac{\partial z}{\partial x}\frac{\partial x}{\partial r} + \frac{\partial z}{\partial y}\frac{\partial y}{\partial r} = 2rf_x + 2sf_y$$

$\frac{\partial^2 z}{\partial r^2}$은

$$\frac{\partial^2 z}{\partial r^2} = \frac{\partial}{\partial r}\left(\frac{\partial z}{\partial r}\right) = \frac{\partial}{\partial r}(2rf_x + 2sf_y) = 2f_x + 2r\frac{\partial f_x}{\partial r} + 2s\frac{\partial f_y}{\partial r}$$

$\frac{\partial f_x}{\partial r}, \frac{\partial f_y}{\partial r}$은 각각 연쇄법칙에 의하여

$$\begin{aligned}\frac{\partial f_x}{\partial r} &= \frac{\partial f_x}{\partial x}\frac{\partial x}{\partial r} + \frac{\partial f_x}{\partial y}\frac{\partial y}{\partial r} = 2rf_{xx} + 2sf_{xy} \\ \frac{\partial f_y}{\partial r} &= \frac{\partial f_y}{\partial x}\frac{\partial x}{\partial r} + \frac{\partial f_y}{\partial y}\frac{\partial y}{\partial r} = 2rf_{xy} + 2sf_{yy}\end{aligned}$$

대입하면

$$\begin{aligned}\frac{\partial^2 z}{\partial r^2} &= 2f_x + 2r(2rf_{xx} + 2sf_{xy}) + 2s(2rf_{xy} + 2sf_{yy}) \\ &= 2f_x + 4r^2 f_{xx} + 8rsf_{xy} + 4s^2 f_{yy}\end{aligned}$$

## ♣ 확인 문제

다음을 구하라. 2번에서 편미분의 순서는 중요하지 않다고 가정한다.

1. $z = f(x,y)$, $x = r\cos\theta$, $y = r\sin\theta$일 때 $\frac{\partial z}{\partial r}, \frac{\partial z}{\partial \theta}$
2. $w = f(x,y,z)$, $x = r+s$, $y = r-s$, $z = r^2+s^2$일 때 $\frac{\partial w}{\partial s}, \frac{\partial^2 w}{\partial r\partial s}$

**음함수 미분법**

방정식 $f(x,y)=k$에서 $y$를 $x$의 함수로, $x$를 $y$의 함수로 보면

$$\frac{dy}{dx}=-\frac{f_x}{f_y}, \qquad \frac{dx}{dy}=-\frac{f_y}{f_x}$$

방정식 $f(x,y,z)=k$에서 $z$를 $x$, $y$의 함수로 보면

$$\frac{\partial z}{\partial x}=-\frac{f_x}{f_z}, \qquad \frac{\partial z}{\partial y}=-\frac{f_y}{f_z}$$

조언 음함수 미분법의 우변은 좌변의 분자, 분모에 있는 변수의 자리를 바꾸어 $f$를 편미분하고 $-$를 붙였다고 기억하면 된다.

**예제 4.** 방정식 $x^3+y^3+z^3+6xyz=1$에서 $z$를 $x$, $y$의 함수로 보고 $\frac{\partial z}{\partial x}$, $\frac{\partial z}{\partial y}$를 구하라.

풀이 $f(x,y,z)=x^3+y^3+z^3+6xyz$이므로

$$f_x=3x^2+6yz, \qquad f_y=3y^2+6xz, \qquad f_z=3z^2+6xy$$

따라서

$$\begin{aligned}\frac{\partial z}{\partial x} &= -\frac{f_x}{f_z}=-\frac{3x^2+6yz}{3z^2+6xy}=-\frac{x^2+2yz}{z^2+2xy}\\ \frac{\partial z}{\partial y} &= -\frac{f_y}{f_z}=-\frac{3y^2+6xz}{3z^2+6xy}=-\frac{y^2+2xz}{z^2+2xy}\end{aligned}$$

## ♣ 확인 문제

다음 방정식에서 $z$를 $x$, $y$의 함수로 보고 $\frac{\partial z}{\partial x}$, $\frac{\partial z}{\partial y}$를 구하라.

1. $3x^2z+2z^3-3yz=0$

2. $3e^{xyz}-4xz^2+x\cos y=2$

3. $xyz=\cos(x+y+z)$

## 3.3 연습문제

연쇄법칙을 써서 다음을 구하라.

1. $z = x^2 + y^2 + xy$, $x = \sin t$, $y = e^t$ 일 때 $\dfrac{dz}{dt}$
2. $z = \sqrt{1 + x^2 + y^2}$, $x = \ln t$, $y = \cos t$ 일 때 $\dfrac{dz}{dt}$
3. $w = xe^{y/z}$, $x = t^2$, $y = 1 - t$, $z = 1 + 2t$ 일 때 $\dfrac{dw}{dt}$
4. $z = x^2y^3$, $x = s\cos t$, $y = s\sin t$ 일 때 $\dfrac{\partial z}{\partial s}$, $\dfrac{\partial z}{\partial t}$
5. $z = \sin\theta\cos\phi$, $\theta = st^2$, $\phi = s^2t$ 일 때 $\dfrac{\partial z}{\partial s}$, $\dfrac{\partial z}{\partial t}$
6. $z = e^r\cos\theta$, $r = st$, $\theta = \sqrt{s^2 + t^2}$ 일 때 $\dfrac{\partial z}{\partial s}$, $\dfrac{\partial z}{\partial t}$

다음에 답하라.

7. $z = x^2 + xy^3$, $x = uv^2 + w^3$, $y = u + ve^w$ 이다. $u = 2$, $v = 1$, $w = 0$ 일 때 $\dfrac{\partial z}{\partial u}, \dfrac{\partial z}{\partial v}, \dfrac{\partial z}{\partial w}$ 를 구하라.
8. $w = xy + yz + zx$, $x = r\cos\theta$, $y = r\sin\theta$, $z = r\theta$ 이다. $r = 2$, $\theta = \dfrac{\pi}{2}$ 일 때 $\dfrac{\partial w}{\partial r}$, $\dfrac{\partial w}{\partial \theta}$ 를 구하라.
9. $z = f(x, y)$, $x = g(t)$, $y = h(t)$ 이고 $f_x(2, 7) = 6$, $f_y(2, 7) = -8$, $g(3) = 2$, $g'(3) = 5$, $h(3) = 7$, $h'(3) = -4$ 이다. $t = 3$ 일 때 $\dfrac{dz}{dt}$ 를 구하라.
10. $z = f(x, y)$, $x = e^u + \sin v$, $y = e^u + \cos v$ 이고 $f_x(1, 2) = 2$, $f_y(1, 2) = 5$ 이다. $u = v = 0$ 일 때 $\dfrac{\partial z}{\partial u}$, $\dfrac{\partial z}{\partial v}$ 를 구하라.

다음에 답하라.

11. 방정식 $y\cos x = x^2 + y^2$ 에서 $y$를 $x$의 함수로 보고 $\dfrac{dy}{dx}$ 를 구하라.
12. 방정식 $\arctan x^2y = x + xy^2$ 에서 $y$를 $x$의 함수로 보고 $\dfrac{dy}{dx}$ 를 구하라.
13. 방정식 $x^2 + 2y^2 + 3z^2 = 1$ 에서 $z$를 $x$, $y$의 함수로 보고 $\dfrac{\partial z}{\partial x}$, $\dfrac{\partial z}{\partial y}$ 를 구하라.
14. 방정식 $e^z = xyz$ 에서 $z$를 $x$, $y$의 함수로 보고 $\dfrac{\partial z}{\partial x}$, $\dfrac{\partial z}{\partial y}$ 를 구하라.

CHAPTER

4

# 다변수함수의 미분의 응용



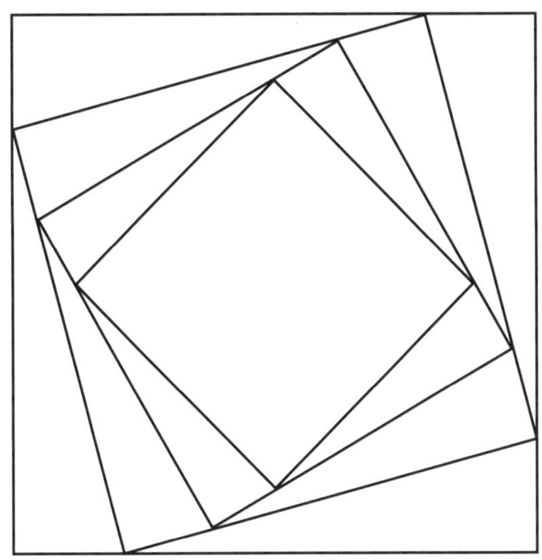

## 4.1. 접평면과 선형근사

일변수함수에서 접선의 방정식과 함수값의 근사값을 구한 방법은 다변수함수에도 그대로 적용된다.

**접평면과 선형근사**

**접평면의 방정식** 곡면 $z = f(x, y)$ 위의 점 $(a, b, f(a, b))$ 에서의 접평면의 방정식은

$$z = f(a, b) + f_x(a, b)(x - a) + f_y(a, b)(y - b)$$

**선형근사** $(x, y)$ 가 $(a, b)$ 에 가까우면 $f(x, y)$ 의 근사값은

$$f(a, b) + f_x(a, b)(x - a) + f_y(a, b)(y - b)$$

**예제 1.** 곡면 $z = xe^{xy}$ 위의 점 $(1, 0, 1)$ 에서의 접평면의 방정식을 구하고, 이로부터 $1.1e^{-0.11}$ 의 근사값을 구하라.

풀이 $f(x, y) = xe^{xy}$ 이므로 $f_x = (1 + xy)e^{xy}$, $f_y = x^2e^{xy}$ 이고 $f_x(1, 0) = 1$, $f_y(1, 0) = 1$ 이다. 따라서 접평면의 방정식은

$$z = 1 + 1 \cdot (x - 1) + 1 \cdot (y - 0) = x + y$$

$1.1e^{-0.11}$ 는 $(x, y) = (1.1, -0.1)$ 일 때의 함수값이므로 그 근사값은

$$1 + 1 \cdot (1.1 - 1) + 1 \cdot (-0.1 - 0) = 1$$

### ♣ 확인 문제

다음 곡면 위의 점에서의 접평면의 방정식을 구하라.

1. $z = x^2 + y^2 - 1$, $(2, 1, 4)$
2. $z = \sin x \cos y$, $(0, \pi, 0)$
3. $z = \sqrt{x^2 + y^2}$, $(-3, 4, 5)$

앞에서는 함수의 그래프인 곡면 $z = f(x, y)$의 접평면의 방정식을 구하였다. 이제 곡면 $f(x, y, z) = k$의 접평면의 방정식을 구한다.

**접평면의 방정식**

곡면 $f(x, y, z) = k$ 위의 점 $(a, b, c)$에서의 접평면의 방정식은

$$f_x(a, b, c)(x - a) + f_y(a, b, c)(y - b) + f_z(a, b, c)(z - c) = 0$$

**예제 2.** 곡면 $\dfrac{x^2}{4} + y^2 + \dfrac{z^2}{9} = 3$ 위의 점 $(-2, 1, -3)$에서의 접평면의 방정식을 구하라.

풀이 $f(x, y, z) = \dfrac{x^2}{4} + y^2 + \dfrac{z^2}{9}$이므로 $f_x = \dfrac{x}{2}$, $f_y = 2y$, $f_z = \dfrac{2z}{9}$이고

$$f_x(-2, 1, -3) = -1, \qquad f_y(-2, 1, -3) = 2, \qquad f_z(-2, 1, -3) = -\frac{2}{3}$$

따라서 접평면의 방정식은

$$(-1)(x - (-2)) + 2(y - 1) + \left(-\frac{2}{3}\right)(z - (-3)) = 0 \iff 3x - 6y + 2z = -18$$

## ♣ 확인 문제

다음 곡면 위의 점에서의 접평면의 방정식을 구하라.

1. $x^2 + y^3 - z = 0, \quad (1, -1, 0)$
2. $x^2 + y^2 + z^2 = 6, \quad (-1, 2, 1)$

## 4.1 연습문제

다음 곡면 위의 점에서의 접평면의 방정식을 구하라.

1. $z = 3y^2 - 2x^2 + x, \quad (2, -1, -3)$
2. $z = \sqrt{xy}, \quad (1, 1, 1)$
3. $z = x\sin(x + y), \quad (-1, 1, 0)$
4. $z = 1 + x\ln(xy - 5), \quad (2, 3, 1)$
5. $z = \dfrac{x}{x + y}, \quad \left(2, 1, \dfrac{2}{3}\right)$
6. $z = e^{-xy}\cos y, \quad (\pi, 0, 1)$

선형근사로 다음의 근사값을 구하라.

7. $f(x, y)$가 $f(2, 5) = 6$, $f_x(2, 5) = 1$, $f_y(2, 5) = -1$을 만족할 때 $f(2.2, 4.9)$
8. $f(x, y, z) = \sqrt{x^2 + y^2 + z^2}$일 때 $f(3.02, 1.97, 5.99)$

다음 곡면 위의 점에서의 접평면의 방정식을 구하라.

9. $2(x - 2)^2 + (y - 1)^2 + (z - 3)^2 = 10, \quad (3, 3, 5)$
10. $xyz^2 = 6, \quad (3, 2, 1)$
11. $x + y + z = e^{xyz}, \quad (0, 0, 1)$

## 4.2. 방향미분

다변수함수의 편도함수로 이루어진 벡터를 **기울기 벡터**라 한다. 예를 들어 이변수함수 $f(x,y)$의 기울기 벡터는

$$(f_x, f_y)$$

이다. 함수 $f(x,y)$의 기울기 벡터는 $\mathrm{grad}\, f$로, 점 $(a,b)$에서의 기울기 벡터는 $\mathrm{grad}\, f(a,b)$로 나타낸다.

**방향미분**

벡터 $V$에 대하여 점 $(a,b)$에서 $f(x,y)$의 $V$ 방향미분계수는

$$D_V f(a,b) = \mathrm{grad}\, f(a,b) \cdot \frac{V}{|V|}$$

**예제 1.** 점 $(1,3,0)$에서 함수 $f(x,y,z) = x \sin yz$의 기울기 벡터를 구하고, 이 점에서 $(1,2,-1)$ 방향미분계수를 구하라.

풀이 $f_x = \sin yz,\ f_y = xz\cos yz,\ f_z = xy\cos yz$이므로

$$\mathrm{grad}\, f = (\sin yz, xz\cos yz, xy\cos yz), \qquad \mathrm{grad}\, f(1,3,0) = (0,0,3)$$

$(1,2,-1)$ 방향미분계수는

$$D_{(1,2,-1)} f(1,3,0) = \mathrm{grad}\, f(1,3,0) \cdot \frac{(1,2,-1)}{|(1,2,-1)|} = (0,0,3) \cdot \frac{1}{\sqrt{6}}(1,2,-1) = -\frac{3}{\sqrt{6}}$$

### ♣ 확인 문제

다음 점에서 다음 함수의 $V$ 방향미분계수를 구하라.

1. $f(x,y) = x^2y + 4y^2$ $(2,1)$ $V = (1, \sqrt{3})$
2. $f(x,y) = \sqrt{x^2+y^2}$ $(3,-4)$ $V = (3,-2)$
3. $f(x,y) = \cos(2x-y)$ $(\pi, 0)$ $V = (\pi, \pi)$
4. $f(x,y,z) = e^{xy+z}$ $(1,-1,1)$ $V = (4,-2,3)$

**함수의 최대(최소) 변화율**

점 $(a,b)$에서 함수 $f(x,y)$의 변화율이 최대(최소)인 방향은 $\pm\operatorname{grad} f(a,b)$이고 이때 최대(최소) 변화율은 $\pm|\operatorname{grad} f(a,b)|$이다.

**예제 2.** 점 $(2,0)$에서 함수 $f(x,y)=xe^y$의 변화율이 최대, 최소인 방향과 최대, 최소 변화율을 구하라.

풀이

$$\operatorname{grad} f(x,y)=(e^y, xe^y), \qquad \operatorname{grad} f(2,0)=(1,2)$$

이므로 $f(x,y)$의 변화율이 최대인 방향은 $(1,2)$, 최소인 방향은 $(-1,-2)$이고 최대, 최소 변화율은 각각

$$|\operatorname{grad} f(2,0)|=|(1,2)|=\sqrt{5}, \qquad -|\operatorname{grad} f(2,0)|=-|(1,2)|=-\sqrt{5}$$

## ♣ 확인 문제

다음 점에서 다음 함수의 변화율이 최대, 최소인 방향과 최대, 최소 변화율을 구하라.

1. $f(x,y)=x^2-y^3, \quad (2,1)$
2. $f(x,y)=\sqrt{x^2+y^2}, \quad (3,-4)$
3. $f(x,y,z)=4x^2yz^3, \quad (1,2,1)$

## 4.2 연습문제

다음 점에서 다음 함수의 $V$ 방향미분계수를 구하라.

1. $f(x,y) = ye^{-x}$ $(0,4)$ $V = (-1, \sqrt{3})$
2. $f(x,y) = \sin(2x+3y)$ $(-6,4)$ $V = (\sqrt{3}, -1)$
3. $f(x,y,z) = xe^{2yz}$ $(3,0,2)$ $V = (2,-2,1)$
4. $f(x,y) = e^x \sin y$ $\left(0, \frac{\pi}{3}\right)$ $V = (-6,8)$
5. $f(x,y) = x^4 - x^2y^3$ $(2,1)$ $V = (1,3)$
6. $f(x,y,z) = xe^y + ye^z + ze^x$ $(0,0,0)$ $V = (5,1,-2)$
7. $f(x,y,z) = \ln(3x+6y+9z)$ $(1,1,1)$ $V = (4,12,6)$
8. $f(x,y) = \sqrt{xy}$ $(2,8)$ $V = (3,-4)$

다음 점에서 다음 함수의 변화율이 최대인 방향과 최대 변화율을 구하라.

9. $f(x,y) = 4y\sqrt{x}$ $(4,1)$
10. $f(x,y) = \sin xy$ $(1,0)$
11. $f(x,y,z) = \sqrt{x^2+y^2+z^2}$ $(3,6,-2)$

다음에 답하라.

12. 점 $(2,-3)$ 에서 함수 $f(x,y) = x^4y - x^2y^3$ 의 변화율이 최소인 방향을 구하라.
13. 함수 $f(x,y) = x^2+y^2-2x-4y$ 의 변화율이 최대인 방향이 $(1,1)$ 인 점을 구하라.
14. 점 $(3,4,5)$ 에서 함수 $f(x,y,z) = 5x^2 - 3xy + xyz$ 의 $(1,1,-1)$ 방향미분계수를 구하라. 이 점에서 $f(x,y,z)$ 의 변화율이 최대인 방향과 최대 변화율을 구하라.

## 4.3. 극대와 극소

일변수함수 $f(x)$가 극값을 가지는 점을 구하려면 $f'(x) = 0$을 만족하는 $x$를 구하면 되고, 이렇게 구한 점에서 $f(x)$가 극대인지, 극소인지는 이계도함수 $f''(x)$로 판정할 수 있었다. 이변수함수가 극값을 가지는 점을 구할 때에도 방법은 크게 다르지 않다. 이변수함수 $f(x,y)$에 대하여 $f_x = f_y = 0$인 점 $(x,y)$를 $f(x,y)$의 **임계점**이라 한다.

**임계점의 분류**

**1단계** $f_x = f_y = 0$인 $(x,y)$를 구한다.

**2단계** $D = f_{xx}f_{yy} - {f_{xy}}^2$이라 할 때, 1단계에서 구한 $(x,y)$에 대하여

1. $D > 0$이고 $f_{xx} < 0$이면 $(x,y)$는 극대점
2. $D > 0$이고 $f_{xx} > 0$이면 $(x,y)$는 극소점
3. $D < 0$이면 $(x,y)$는 안장점

으로 판정한다.

조언 1단계에서 구한 $(x,y)$에 대하여 $D = 0$이면 이 방법으로는 $(x,y)$가 극대점인지, 극소점인지, 안장점인지 판정할 수 없다. 이 책에서 이러한 경우는 다루지 않는다.

**예제 1.** 함수 $f(x,y) = x^4 + y^4 - 4xy + 1$의 임계점을 모두 구하고, 극대점, 극소점, 안장점으로 분류하라.

1단계

$$f_x = 4x^3 - 4y = 0, \qquad f_y = 4y^3 - 4x = 0$$

$4x^3 - 4y = 0$에서 $y = x^3$이고, 이를 $4x^3 - 4y = 0$에 대입하면

$$x^9 - x = x(x-1)(x+1)(x^2+1)(x^4+1) = 0 \iff x = 0,\ \pm 1$$

이때 $y = 0, \pm 1$이므로

$$(x,y) = (0,0), \quad (1,1), \quad (-1,-1)$$

2단계

$$f_{xx} = 12x^2, \qquad f_{xy} = -4, \qquad f_{yy} = 12y^2$$

$(x, y) = (0, 0)$ 일 때

$$D = f_{xx}f_{yy} - {f_{xy}}^2 = 0 \cdot 0 - (-4)^2 = -16 < 0$$

이므로 $(0, 0)$은 안장점

$(x, y) = (1, 1)$ 일 때

$$D = f_{xx}f_{yy} - {f_{xy}}^2 = 12 \cdot 12 - (-4)^2 = 128 > 0, \qquad f_{xx} = 12 > 0$$

이므로 $(1, 1)$은 극소점

$(x, y) = (-1, -1)$ 일 때

$$D = f_{xx}f_{yy} - {f_{xy}}^2 = 12 \cdot 12 - (-4)^2 = 128 > 0, \qquad f_{xx} = 12 > 0$$

이므로 $(-1, -1)$은 극소점

## ♣ 확인 문제

다음 함수의 임계점을 모두 구하고, 극대점, 극소점, 안장점으로 분류하라.

1. $f(x, y) = e^{-x^2}(y^2 + 1)$
2. $f(x, y) = x^3 - 3xy + y^3$
3. $f(x, y) = y^2 + x^2y + x^2 - 2y$
4. $f(x, y) = e^{-x^2 - y^2}$
5. $f(x, y) = xy + \dfrac{1}{x} + \dfrac{1}{y}$

## 4.3 연습문제

다음 함수의 임계점을 모두 구하고, 극대점, 극소점, 안장점으로 분류하라.

1. $f(x,y) = 9 - 2x + 4y - x^2 - 4y^2$

2. $f(x,y) = (x-y)(1-xy)$

3. $f(x,y) = y^3 + 3x^2y - 6x^2 - 6y^2 + 2$

4. $f(x,y) = x^3 - 12xy + 8y^3$

5. $f(x,y) = e^x \cos y$

6. $f(x,y) = (x^2+y^2)e^{y^2-x^2}$

7. $f(x,y) = y^2 - 2y\cos x \ (-1 \leqq x \leqq 7)$

## 4.4. 라그랑주 승수법

변수가 만족해야 하는 방정식이 있을 때, 함수가 극값을 가지는 점을 구하는 방법이 **라그랑주 승수법**이다.

**라그랑주 승수법**

**1단계** 예를 들어 변수가 $x$, $y$ 인 경우 극값을 구하려는 함수를 $f(x, y)$, 변수가 만족해야 하는 방정식을 (좌변) $= k$ 의 꼴로 정리한 다음 좌변을 $g(x, y)$ 라 한다.

**2단계** 방정식

$$\begin{cases} f_x &= \lambda g_x \\ f_y &= \lambda g_y \\ g(x, y) &= k \end{cases}$$

를 푼다.

**3단계** 2단계에서 구한 모든 $(x, y)$ 에 대하여 $f(x, y)$ 를 구한다. 이 가운데 가장 큰 값이 최대값, 가장 작은 값이 최소값이다.

조언 변수가 $x$, $y$, $z$ 인 경우 2단계의 방정식에 $f_z = \lambda g_z$ 를 추가하고 $g(x, y) = k$ 는 $g(x, y, z) = k$ 로 바꾸면 된다.

**예제 1.** 겉넓이가 12 인 뚜껑이 없는 직육면체 모양 상자의 부피의 최대값을 구하라.

1단계 상자의 가로의 길이, 세로의 길이, 높이를 각각 $x$, $y$, $z$ 라 하면 이 상자의 부피는

$$f(x, y, z) = xyz$$

이 상자를 겉넓이는 $2xz + 2yz + xy$ 이므로 $x$, $y$, $z$ 는 $2xz + 2yz + xy = 12$ 를 만족하고

$$g(x, y, z) = 2xz + 2yz + xy$$

2단계 방정식

$$\begin{cases} f_x &= \lambda g_x \\ f_y &= \lambda g_y \\ f_z &= \lambda g_z \\ g(x,y,z) &= 12 \end{cases} \iff \begin{cases} yz &= \lambda(2z+y) \\ xz &= \lambda(2z+x) \\ xy &= \lambda(2x+2y) \\ 2xz+2yz+xy &= 12 \end{cases}$$

에서 순서대로 양변에 $x$, $y$, $z$를 곱하면

$$\lambda x(2z+y) = \lambda y(2z+x) = \lambda z(2x+2y) = xyz$$

$\lambda = 0$이라 가정하면 $yz = zx = xy = 0$이므로 $2xz + 2yz + xy = 12$에 모순이다. 따라서 $\lambda \neq 0$이고

$$x(2z+y) = y(2z+x) = z(2x+2y)$$

에서 $xx = yz$, $xy = 2yz$를 얻는다. $2xz + 2yz + xy = 12$에 대입하면 $6yz = 12$이고 $y$, $z \neq 0$이므로 $x = y = 2z$이다. 따라서 $2z^2 = 2$에서 $z = 1$, $x = y = 2$

3단계 2단계에서 구한 $(x,y,z)$가 $(2,2,1)$이므로 함수값을 구하면

$$f(2,2,1) = 2 \cdot 2 \cdot 1 = 4$$

따라서 부피의 최대값은 4

## ♣ 확인 문제

변수 $x$, $y$ 또는 $x$, $y$, $z$가 다음 방정식을 만족할 때, 다음 함수의 극값을 구하라.

1. $f(x,y) = 4xy, \quad x^2 + y^2 = 8$
2. $f(x,y) = x^2e^y, \quad x^2 + y^2 = 3$
3. $f(x,y,z) = 4x^2 + y^2 + z^2, \quad x^4 + y^4 + z^4 = 1$

변수가 만족해야 하는 부등식이 있으면, 함수의 최대값과 최소값은 두 번에 나누어 구한다.

**영역에서의 최대값과 최소값**

**1단계** 예를 들어 변수가 $x$, $y$인 경우 극값을 구하려는 함수를 $f(x,y)$, 변수가 만족해야 하는 부등식을 (좌변) $\leqq k$ 또는 (좌변) $\geqq k$의 꼴로 정리한 다음 좌변을 $g(x,y)$라 한다.

**2단계** $f_x = f_y = 0$을 만족하는 $(x,y)$ 가운데 $g(x,y) \leqq k$ 또는 $g(x,y) \geqq k$를 만족하는 것을 구한다.

**3단계** 방정식

$$\begin{cases} f_x &= \lambda g_x \\ f_y &= \lambda g_y \\ g(x,y) &= k \end{cases}$$

를 만족하는 $(x,y)$를 구한다.

**4단계** 앞의 두 단계에서 구한 $(x,y)$에 대하여 $f(x,y)$를 구한다. 이 가운데 가장 큰 값이 최대값, 가장 작은 값이 최소값이다.

**예제 2.** 원판 $x^2+y^2 \leqq 1$에서 함수 $f(x,y) = x^2+2y^2$의 최대값과 최소값을 구하라.

1단계 극값을 구하려는 함수와, $x$, $y$가 만족해야 하는 부등식을 (좌변) $\leqq k$의 꼴로 정리하였을 때 좌변은 각각

$$f(x,y) = x^2 + 2y^2, \qquad g(x,y) = x^2 + y^2$$

2단계

$$f_x = 2x = 0, \qquad f_y = 4y = 0$$

을 풀면 $x = y = 0$이고, $0^2 + 0^2 \leqq 1$이므로 부등식도 만족한다.

3단계 방정식

$$\begin{cases} f_x = \lambda g_x \\ f_y = \lambda g_y \\ g(x,y) = 1 \end{cases} \iff \begin{cases} 2x = 2\lambda x \\ 4y = 2\lambda y \\ x^2+y^2 = 1 \end{cases}$$

에서 첫째, 둘째 방정식의 양변에 $y$, $x$를 곱하면 $2xy = 2\lambda xy$, $4xy = 2\lambda xy$를 얻으므로 $xy = 0$이다. $x^2+y^2 = 1$이므로 $x = 0$일 때 $y = \pm 1$, $y = 0$일 때 $x = \pm 1$

4단계 앞의 두 단계에서 구한 $(x,y)$가 $(0,0)$, $(\pm 1,0)$, $(0,\pm 1)$이므로 함수값을 구하면

$$f(0,0) = 0, \qquad f(\pm 1,0) = 1, \qquad f(0,\pm 1) = 2$$

이 가운데 가장 큰 값은 2, 가장 작은 값은 0이므로 최대값은 2, 최소값은 0

## ♣ 확인 문제

변수 $x$, $y$가 다음 부등식을 만족할 때, 다음 함수의 극값을 구하라.

1. $f(x,y) = 4x^2y, \quad x^2+y^2 \leqq 3$

2. $f(x,y) = x^3+y^3, \quad x^4+y^4 \leqq 1$

## 4.4 연습문제

다음 변수가 다음 방정식을 만족할 때, 다음 함수의 극값을 구하라.

1. $f(x,y)=x^2+y^2$ $\quad xy=1$
2. $f(x,y)=y^2-x^2$ $\quad \dfrac{1}{4}x^2+y^2=1$
3. $f(x,y,z)=2x+2y+z$ $\quad x^2+y^2+z^2=9$
4. $f(x,y,z)=xyz$ $\quad x^2+2y^2+3z^2=6$
5. $f(x,y,z)=x^2+y^2+z^2$ $\quad x^4+y^4+z^4=1$
6. $f(x,y,z,w)=x+y+z+w$ $\quad x^2+y^2+z^2+w^2=1$

다음 영역에서 다음 함수의 최대값과 최소값을 구하라.

7. $f(x,y)=x^2+y^2+4x-4y$ $\quad x^2+y^2\leqq 9$
8. $f(x,y)=e^{-xy}$ $\quad x^2+4y^2\leqq 1$
9. $f(x,y)=2x^3+y^4$ $\quad x^2+y^2\leqq 1$
10. $f(x,y,z)=x^2+y^2+z^2$ $\quad x^4+y^4+z^4\leqq 1$

다음을 구하라.

11. 점 $(2,0,-3)$과 거리가 최소인 평면 $x+y-z=1$ 위의 점
12. 점 $(4,2,0)$과 거리가 최소인 원뿔 $z^2=x^2+y^2$ 위의 점
13. 합이 100인 세 양수의 곱의 최대값
14. 반지름의 길이가 $r$인 구에 내접하는 직육면체의 부피의 최대값
15. 원점과 평면 $x+2y+3z=6$ 위의 점을 대각선으로 하는 직육면체의 부피의 최대값
16. 변의 길이의 합이 $c$인 직육면체의 부피의 최대값
17. 부피가 32000인 뚜껑이 없는 직육면체 상자의 겉넓이의 최소값
18. 대각선의 길이가 $L$인 직육면체의 부피의 최대값

CHAPTER

# 5

# 다변수함수의 적분



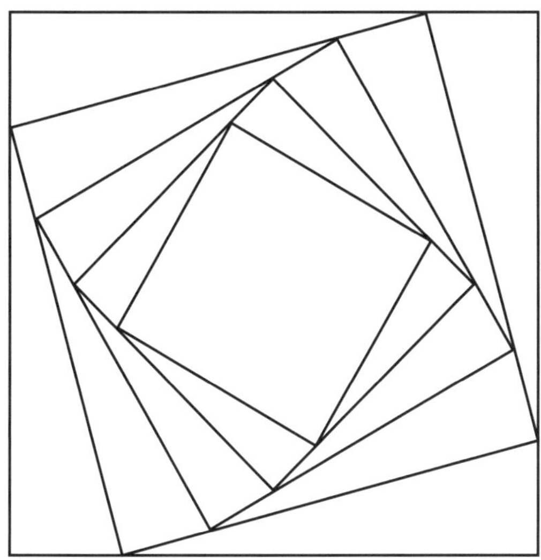

## 5.1. 다중적분

평면의 영역 $D$에서 이변수함수 $f(x,y)$의 적분을 **이중적분**이라 하고

$$\iint_D f(x,y)\,dA$$

로 나타낸다. 이중적분은 반복적분, 즉 일변수함수의 적분을 반복하여 구할 수 있다.

**이중적분의 계산**

**방법 1** 영역 $D$에서

고정된 $x$에 대하여 $y$가 $g_1(x)$부터 $g_2(x)$까지 변하고
$x$가 $a$부터 $b$까지 변하면

$$\iint_D f(x,y)\,dA = \int_a^b \int_{g_1(x)}^{g_2(x)} f(x,y)\,dy\,dx$$

로 계산한다.

**방법 2** 영역 $D$에서

고정된 $y$에 대하여 $x$가 $h_1(y)$부터 $h_2(y)$까지 변하고
$y$가 $c$부터 $d$까지 변하면

$$\iint_D f(x,y)\,dA = \int_c^d \int_{h_1(y)}^{h_2(y)} f(x,y)\,dx\,dy$$

로 계산한다.

조언 $D$를 둘러싸는 곡선의 방정식이

$$y = g_1(x), \qquad y = g_2(x) \qquad (\text{및 } x = a,\ x = b)$$

와 같이 $y$에 대하여 나타내기 쉽다면 방법 1에 따라,

$$x = h_1(y), \qquad x = h_2(y) \qquad (\text{및 } y = c,\ y = d)$$

와 같이 $x$에 대하여 나타내기 쉽다면 방법 2에 따라 이중적분을 계산한다.

**예제 1.** 영역 $D$가 직선 $y=x-1$과 포물선 $y^2=2x+6$으로 둘러싸인 영역일 때, $\iint_D xy\,dA$를 구하라.

풀이 직선 $y=x-1$과 포물선 $y^2=2x+6$은 각각

$$x=y+1, \qquad x=\frac{y^2}{2}-3$$

로 나타낼 수 있으므로 방법 1에 따라 적분한다. $y+1=\dfrac{y^2}{2}-3$을 풀면 $y=-2,\,4$이므로 $y$는 $-2$부터 $4$까지 변한다. $-2\leqq y\leqq 4$일 때 $y+1$과 $\dfrac{y^2}{2}-3$의 대소를 비교하면 $\dfrac{y^2}{2}-3\leqq y+1$이므로

고정된 $y$에 대하여 $x$는 $\dfrac{y^2}{2}-3$부터 $y+1$까지 변하고
$y$는 $-2$부터 $4$까지 변하며

$$\begin{aligned}\iint_D xy\,dA &= \int_{-2}^{4}\int_{y^2/2-3}^{y+1} xy\,dx\,dy=\int_{-2}^{4}\left[\frac{1}{2}x^2y\right]_{y^2/2-3}^{y+1}dy\\ &= \int_{-2}^{4}\left(-\frac{1}{8}y^5+2y^3+y^2-4y\right)dy\\ &= \left[-\frac{1}{48}y^6+\frac{1}{2}y^4+\frac{1}{3}y^3-2y^2\right]_{-2}^{4}=36\end{aligned}$$

## ♣ 확인 문제

다음 이중적분을 구하라.

1. $\iint_D (x^2+y^2)\,dA$ $D$는 포물선 $y=x^2$과 직선 $y=1$로 둘러싸인 영역
2. $\iint_D y^2\,dA$ $D$는 직선 $y=x,\ x=2,\ y=0$으로 둘러싸인 영역

적분의 순서를 잘못 설정하면 아예 계산을 할 수 없을 수도 있다. 이런 경우 적분의 순서를 바꾸어 계산을 시도해야 한다.

**예제 2.** 반복적분 $\int_0^1 \int_x^1 \sin y^2 \, dy \, dx$를 구하라.

풀이 $\int \sin y^2 \, dy$를 계산할 수 없으므로 적분의 순서를 바꾼다. 적분의 영역은

고정된 $x$에 대하여 $y$는 $x$부터 1까지 변하고
$x$는 0부터 1까지 변하므로

직선 $y = x$, $x = 0$, $y = 1$로 둘러싸인 삼각형이다. 이는 그래프 $x = y$, $x = 0$과 직선 $y = 1$로 둘러싸인 영역이다. 그래프 $x = y$, $x = 0$은 $y = 0$일 때 만나므로 $y$는 0부터 1까지 변한다. $0 \leqq y \leqq 1$일 때 0과 $y$의 대소를 비교하면 $0 \leqq y$이므로

고정된 $y$에 대하여 $x$는 0부터 $y$까지 변하고
$y$는 0부터 1까지 변한다.

$$\begin{aligned} \int_0^1 \int_x^1 \sin y^2 \, dy \, dx &= \int_0^1 \int_0^y \sin y^2 \, dx \, dy = \int_0^1 \Big[ x \sin y^2 \Big]_0^y \, dy \\ &= \int_0^1 y \sin y^2 \, dy = \left[ -\frac{1}{2} \cos y^2 \right]_0^1 = \frac{1 - \cos 1}{2} \end{aligned}$$

## ♣ 확인 문제

다음 반복적분을 구하라.

1. $\int_0^2 \int_x^2 2e^{y^2} \, dy \, dx$
2. $\int_0^1 \int_y^1 3xe^{x^2} \, dx \, dy$

공간의 영역 $R$에서 삼변수함수 $f(x,y,z)$의 적분을 **삼중적분**이라 하고

$$\iiint_R f(x,y,z)\,dV$$

로 나타낸다. 삼중적분 또한 이중적분과 마찬가지로 반복적분으로 구할 수 있다.

**삼중적분의 계산**

영역 $R$에서

고정된 $x$, $y$에 대하여 $z$가 $h_1(x,y)$부터 $h_2(x,y)$까지 변하고
고정된 $x$에 대하여 $y$가 $g_1(x)$부터 $g_2(x)$까지 변하고
$x$가 $a$부터 $b$까지 변하면

$$\iiint_R f(x,y,z)\,dV = \int_a^b \int_{g_1(x)}^{g_2(x)} \int_{h_1(x,y)}^{h_2(x,y)} f(x,y,z)\,dz\,dy\,dx$$

로 계산한다.

조언 1 삼중적분을 반복적분으로 바꾸는 방법은 이 밖에 다섯 가지가 더 있다. 가장 먼저 적분할 변수는 다음과 같이 선택한다. 예를 들어 $R$을 둘러싸는 곡면의 방정식이

$$z = h_1(x,y), \qquad z = h_2(x,y) \qquad (\text{및 } x,\, y\text{만의 방정식})$$

와 같이 $z$에 대하여 나타내기 쉽다면 $z$로 먼저 적분한다. $R$을 둘러싸는 곡면의 방정식이 $x$나 $y$에 대하여 나타내기 쉽다면 $x$나 $y$로 먼저 적분한다.

조언 2 $R$을

$$z = h_1(x,y), \qquad z = h_2(x,y) \qquad (\text{및 } x,\, y\text{만의 방정식})$$

와 같이 그래프로 둘러싸인 영역으로 나타낼 수 있는 때가 많다. 이때 $z$는 $h_1(x,y)$, $h_2(x,y)$ 가운데 작은 쪽부터 큰 쪽까지 변하고, $x$, $y$는 $xy$평면의 곡선

$$h_1(x,y) = h_2(x,y) \qquad (\text{및 } x,\, y\text{만의 방정식})$$

로 둘러싸인 영역에서 변한다.

**예제 3.** 영역 $R$이 평면 $x+y+z=1$, $x=0$, $y=0$, $z=0$으로 둘러싸인 사면체일 때, $\iiint_R z\,dV$를 구하라.

풀이 $R$을 둘러싸는 곡면은 그래프

$$z=1-x-y, \quad z=0 \qquad \text{및} \qquad x=0, \quad y=0$$

이므로 $x$, $y$는 직선

$$1-x-y=0, \qquad x=0, \qquad y=0$$

으로 둘러싸인 영역에서 변한다. 이 영역에서

고정된 $x$에 대하여 $y$는 $0$부터 $1-x$까지 변하고
$x$는 $0$부터 $1$까지 변하며

$0$, $1-x-y$의 대소를 비교하면 $0 \leqq 1-x-y$이므로 $z$는 $0$부터 $1-x-y$까지 변한다. 따라서

$$\begin{aligned}
\iiint_R z\,dV &= \int_0^1 \int_0^{1-x} \int_0^{1-x-y} z\,dz\,dy\,dx = \int_0^1 \int_0^{1-x} \left[\frac{1}{2}z^2\right]_0^{1-x-y} dy\,dx \\
&= \int_0^1 \int_0^{1-x} \frac{1}{2}(1-x-y)^2\,dy\,dx = \int_0^1 \left[-\frac{1}{6}(1-x-y)^3\right]_0^{1-x} dx \\
&= \int_0^1 \frac{1}{6}(1-x)^3\,dx = \left[-\frac{1}{24}(1-x)^4\right]_0^1 = \frac{1}{24}
\end{aligned}$$

## ♣ 확인 문제

다음 삼중적분을 구하라.

1. $\iiint_R 4yz\,dV$ $R$은 평면 $x+2y+z=2$, $x=0$, $y=0$, $z=0$으로 둘러싸인 사면체

2. $\iiint_R 15\,dV$ $R$은 평면 $2x+y+z=4$, $x=0$, $z=0$, 곡면 $x=1-y^2$으로 둘러싸인 영역

## 5.1 연습문제

다음 이중적분을 구하라.

1. $\iint_D y^2\,dA$ $\quad D$는 $-1 \leqq y \leqq 1$, $-y-2 \leqq x \leqq y$인 영역

2. $\iint_D x\,dA$ $\quad D$는 $0 \leqq x \leqq \pi$, $0 \leqq y \leqq \sin x$인 영역

3. $\iint_D x\,dA$ $\quad D$는 직선 $y=x$, $y=0$, $x=1$로 둘러싸인 영역

4. $\iint_D y\,dA$ $\quad D$는 직선 $y=x-2$와 포물선 $x=y^2$으로 둘러싸인 영역

5. $\iint_D x\cos y\,dA$ $\quad D$는 직선 $y=0$, $x=1$과 포물선 $y=x^2$으로 둘러싸인 영역

6. $\iint_D y^2\,dA$ $\quad D$는 꼭지점이 $(0,1)$, $(1,2)$, $(4,1)$인 삼각형

7. $\iint_D (2x-y)\,dA$ $\quad D$는 중심이 원점이고 반지름의 길이가 2인 원

다음 반복적분을 구하라.

8. $\int_0^1 \int_{3y}^3 e^{x^2}\,dx\,dy$

9. $\int_0^4 \int_{\sqrt{x}}^2 \frac{1}{y^3+1}\,dy\,dx$

다음 삼중적분을 구하라.

10. $\iiint_R 2x\,dV$ $\quad R$은 $0 \leqq y \leqq 2$, $0 \leqq x \leqq \sqrt{4-y^2}$, $0 \leqq z \leqq y$인 영역

11. $\iiint_R \frac{z}{x^2+z^2}\,dV$ $\quad R$은 $1 \leqq y \leqq 4$, $y \leqq z \leqq 4$, $0 \leqq x \leqq z$인 영역

12. $\iiint_R 6xy\,dV$ $\quad R$은 $xy$평면에서 곡선 $y=\sqrt{x}$와 직선 $y=0$, $x=1$로 둘러싸인 영역과 평면 $z=1+x+y$ 사이의 영역

13. $\iiint_R x\,dV$ $\quad R$은 포물면 $x=4y^2+4z^2$과 평면 $x=4$로 둘러싸인 영역

## 5.2. 치환적분

적분의 영역이 복잡하면 다중적분의 계산은 대단히 어렵다. 복잡한 영역에서의 적분을 보다 간단한 영역에서의 적분으로 바꾸어 주는 것이 **치환적분**이다. 대표적인 치환이 **극좌표치환**, **원기둥좌표치환**, **구면좌표치환**이다. 극좌표치환은 이중적분, 원기둥좌표치환과 구면좌표치환은 삼중적분의 계산에 쓸 수 있는 치환이다.

**극좌표치환**

영역 $D$에서 극좌표계로

고정된 $\theta$에 대하여 $r$이 $g_1(\theta)$부터 $g_2(\theta)$까지 변하고
$\theta$가 $a$부터 $b$까지 변하면

$$\iint_D f(x,y)\,dA = \int_a^b \int_{g_1(\theta)}^{g_2(\theta)} f(r\cos\theta, r\sin\theta)\,r\,dr\,d\theta$$

로 계산한다.

조언 1 극좌표치환은 적분의 영역을 극좌표계로 간단하게 나타낼 수 있을 때, 즉 원의 호나 원점에서 뻗어나오는 반직선 또는 극좌표계로 나타낸 곡선으로 둘러싸인 경우에 유용하다. $r$, $\theta$가 변하는 범위를 구하기 어려울 때에는 적분의 영역을 둘러싸는 곡선의 방정식에 $x = r\cos\theta$, $y = r\sin\theta$를 대입하여 대응하는 극좌표계의 방정식을 구하는 것이 도움이 된다.

조언 2 극좌표치환은

$$x \to r\cos\theta, \quad y \to r\sin\theta, \qquad dA \to r\,dr\,d\theta$$

로 기억하면 된다.

**예제 1.** 다음 이중적분을 구하라.

(1) $\displaystyle\iint_D (3x+4y^2)\,dA$ $D$는 원 $x^2+y^2=1$, $x^2+y^2=4$로 둘러싸인 영역에서 $y \geq 0$인 부분

(2) $\displaystyle\iint_D (x^2+y^2)\,dA$ $D$는 원 $x^2+y^2=2x$로 둘러싸인 영역

풀이 (1) $D$가 원 $x^2+y^2=1$, $x^2+y^2=4$와 원점에서 뻗어나오는 두 반직선 $y=0$으로 둘러싸인 영역이므로 극좌표치환을 한다. 원 $x^2+y^2=1$, $x^2+y^2=4$는 중심이 원점이고 반지름의 길이가 각각 1, 2인 원이므로 $D$에서

고정된 $\theta$에 대하여 $r$은 1부터 2까지 변하고
$\theta$는 0부터 $\pi$까지 변하므로

$$
\begin{aligned}
&\iint_D (3x+4y^2)\,dA \\
=\ & \int_0^\pi \int_1^2 (3r\cos\theta + 4r^2\sin^2\theta)\,r\,dr\,d\theta = \int_0^\pi \Big[r^3\cos\theta + r^4\sin^2\theta\Big]_1^2\,d\theta \\
=\ & \int_0^\pi (7\cos\theta + 15\sin^2\theta)\,d\theta = \left[7\sin\theta + \frac{15}{2}\theta - \frac{15}{4}\sin 2\theta\right]_0^\pi = \frac{15}{2}\pi
\end{aligned}
$$

(2) $D$가 원 $x^2+y^2=2x$로 둘러싸인 영역이므로 극좌표치환을 한다. 방정식 $x^2+y^2=2x$에 $x=r\cos\theta$, $y=r\sin\theta$를 대입하면 $r^2=2r\cos\theta$, 즉 $r=2\cos\theta$이므로 $D$에서

고정된 $\theta$에 대하여 $r$은 0부터 $2\cos\theta$까지 변하고
$\theta$는 $-\frac{\pi}{2}$부터 $\frac{\pi}{2}$까지 변하므로

$$
\begin{aligned}
\iint_D (x^2+y^2)\,dA &= \int_{-\pi/2}^{\pi/2}\int_0^{2\cos\theta} r^2\cdot r\,dr\,d\theta = \int_{-\pi/2}^{\pi/2}\left[\frac{1}{4}r^4\right]_0^{2\cos\theta} d\theta \\
&= \int_{-\pi/2}^{\pi/2} 4\cos^4\theta\,d\theta = \int_{-\pi/2}^{\pi/2}\left(\frac{3}{2} + 2\cos 2\theta + \frac{1}{2}\cos 4\theta\right)d\theta \\
&= \left[\frac{3}{2}\theta + \sin 2\theta + \frac{1}{8}\sin 4\theta\right]_{-\pi/2}^{\pi/2} = \frac{3}{2}\pi
\end{aligned}
$$

## ♣ 확인 문제

다음 이중적분을 구하라.

1. $\iint_D \sqrt{x^2+y^2}\,dA$ $D$는 원 $x^2+y^2=9$로 둘러싸인 영역
2. $\iint_D e^{-x^2-y^2}\,dA$ $D$는 원 $x^2+y^2=4$로 둘러싸인 영역
3. $\iint_D y\,dA$ $D$는 곡선 $r=2-\cos\theta$로 둘러싸인 영역

**원기둥좌표치환**

영역 $R$에서 원기둥좌표계로

고정된 $r, \theta$에 대하여 $z$가 $h_1(r,\theta)$부터 $h_2(r,\theta)$까지 변하고
고정된 $\theta$에 대하여 $r$이 $g_1(\theta)$부터 $g_2(\theta)$까지 변하고
$\theta$가 $a$부터 $b$까지 변하면

$$\iiint_R f(x,y,z)\,dV = \int_a^b \int_{g_1(\theta)}^{g_2(\theta)} \int_{h_1(r,\theta)}^{h_2(r,\theta)} f(r\cos\theta, r\sin\theta, z)\,r\,dz\,dr\,d\theta$$

로 계산한다.

조언 1 원기둥좌표치환은 적분의 영역이 극좌표계로 간단히 나타낼 수 있는 $xy$ 평면의 영역과 그래프 $z = f(x,y)$ 사이인 경우에 유용하다.

조언 2 원기둥좌표치환은

$$x \to r\cos\theta, \quad y \to r\sin\theta, \quad z \to z, \qquad dV \to r\,dz\,dr\,d\theta$$

로 기억하면 된다.

**예제 2.** 다음 적분을 구하라.

(1) $\iiint_R \sqrt{x^2+y^2}\,dV$ $R$은 원기둥 $x^2+y^2=1$, 평면 $z=4$, 포물면 $z=1-x^2-y^2$으로 둘러싸인 영역

(2) $\int_{-2}^{2}\int_{-\sqrt{4-x^2}}^{\sqrt{4-x^2}}\int_{\sqrt{x^2+y^2}}^{2}(x^2+y^2)\,dz\,dy\,dx$

풀이 (1) $R$이 원 $x^2+y^2=1$로 둘러싸인 $xy$평면의 영역에서 그래프 $z=1-x^2-y^2$과 $z=1$ 사이이므로 원기둥좌표치환을 한다. 그래프 $z=1-x^2-y^2$과 $z=1$에 $x=r\cos\theta$, $y=r\sin\theta$를 대입하면 각각 $z=1-r^2$, $z=1$이므로 $R$에서

고정된 $r, \theta$에 대하여 $z$는 $1-r^2$부터 $1$까지 변하고
고정된 $\theta$에 대하여 $r$은 $0$부터 $1$까지 변하고
$\theta$는 $0$부터 $2\pi$까지 변하므로

$$\begin{aligned}\iiint_R \sqrt{x^2+y^2}\,dV &= \int_0^{2\pi}\int_0^1\int_{1-r^2}^4 r\cdot r\,dz\,dr\,d\theta = \int_0^{2\pi}\int_0^1 \left[r^2 z\right]_{1-r^2}^4 dr\,d\theta \\ &= \int_0^{2\pi}\int_0^1 (r^4+3r^2)\,dr\,d\theta = \int_0^{2\pi}\left[\frac{1}{5}r^5+r^3\right]_0^1 d\theta \\ &= \int_0^{2\pi}\frac{6}{5}\,d\theta = \left[\frac{6}{5}\theta\right]_0^{2\pi} = \frac{12}{5}\pi\end{aligned}$$

(2) $z$가 $\sqrt{x^2+y^2}$부터 2까지 변하므로 그래프 $z=\sqrt{x^2+y^2}$, $z=2$가 적분의 영역을 둘러싸고 있다. 이때 $x$, $y$는

$$\sqrt{x^2+y^2}=2 \qquad (\text{및 } x,\, y\text{만의 방정식})$$

으로 둘러싸인 영역에서 변하는데 $\sqrt{x^2+y^2}=2$, 즉 원 $x^2+y^2=4$가 그래프 $y=\pm\sqrt{4-x^2}$이므로 다른 $x$, $y$만의 방정식은 없다. 적분의 영역이 $xy$평면의 원 $x^2+y^2=4$의 안쪽에서 그래프 $z=\sqrt{x^2+y^2}$, $z=2$ 사이의 영역이므로 원기둥좌표치환을 하면

| | |
|---|---|
| 고정된 $r$, $\theta$에 대하여 | $z$는 $r$부터 2까지 변하고 |
| 고정된 $\theta$에 대하여 | $r$은 0부터 2까지 변하고 |
| | $\theta$는 0부터 $2\pi$까지 변하므로 |

$$\begin{aligned}&\int_{-2}^2\int_{-\sqrt{4-x^2}}^{\sqrt{4-x^2}}\int_{\sqrt{x^2+y^2}}^2 (x^2+y^2)\,dz\,dy\,dx \\ &= \int_0^{2\pi}\int_0^2\int_r^2 r^2\cdot r\,dz\,dr\,d\theta = \int_0^{2\pi}\int_0^2\left[r^3 z\right]_r^2 dr\,d\theta \\ &= \int_0^{2\pi}\int_0^2 (2r^3-r^4)\,dr\,d\theta = \int_0^{2\pi}\left[\frac{1}{2}r^4-\frac{1}{5}r^5\right]_0^2 d\theta \\ &= \int_0^{2\pi}\frac{8}{5}\,d\theta = \left[\frac{8}{5}\theta\right]_0^{2\pi} = \frac{16}{5}\pi\end{aligned}$$

## ♣ 확인 문제

다음 반복적분을 구하라.

1. $\displaystyle\int_{-1}^1\int_{-\sqrt{1-x^2}}^{\sqrt{1-x^2}}\int_0^{\sqrt{x^2+y^2}} 3z^2\,dz\,dy\,dx$

2. $\displaystyle\int_{-3}^3\int_{-\sqrt{9-x^2}}^0\int_0^{x^2+y^2} (x^2+y^2)\,dz\,dy\,dx$

**구면좌표치환**

영역 $R$에서 구면좌표계로

| | |
|---|---|
| 고정된 $\phi$, $\theta$에 대하여 | $\rho$가 $h_1(\phi,\theta)$부터 $h_2(\phi,\theta)$까지 변하고 |
| 고정된 $\theta$에 대하여 | $\phi$가 $g_1(\theta)$부터 $g_2(\theta)$까지 변하고 |
| | $\theta$가 $a$부터 $b$까지 변하면 |

$$\iiint_R f(x,y,z)\,dV$$
$$= \int_a^b \int_{g_1(\theta)}^{g_2(\theta)} \int_{h_1(\phi,\theta)}^{h_2(\phi,\theta)} f(\rho\sin\phi\cos\theta, \rho\sin\phi\sin\theta, \rho\cos\phi)\,\rho^2\sin\phi\,d\rho\,d\phi\,d\theta$$

로 계산한다.

조언 1 구면좌표치환은 적분의 영역을 구면좌표계로 간단히 나타낼 수 있을 때, 특히 적분의 영역이 구면과 원뿔면으로 둘러싸인 경우에 유용하다. $\rho$, $\phi$, $\theta$가 변하는 범위를 구하기 어려울 때에는 적분의 영역을 둘러싸는 곡면의 방정식에

$$x = \rho\sin\phi\cos\theta, \qquad y = \rho\sin\phi\sin\theta, \qquad z = \rho\cos\phi$$

를 대입하여 대응하는 구면좌표계의 방정식을 구하는 것이 도움이 된다.

조언 2 구면좌표치환은

$$x \to \rho\sin\phi\cos\theta, \quad y \to \rho\sin\phi\sin\theta, \quad z \to \rho\cos\phi, \qquad dV \to \rho^2\sin\phi\,d\rho\,d\phi\,d\theta$$

로 기억하면 된다.

**예제 3.** 영역 $R$이 구면 $x^2+y^2+z^2=1$로 둘러싸인 영역일 때

$$\iiint_R e^{(x^2+y^2+z^2)^{3/2}}\,dV$$

를 구하라.

풀이 $R$이 구면 $x^2+y^2+z^2=1$로 둘러싸인 영역이므로 구면좌표치환을 한다. $R$에서

고정된 $\phi, \theta$에 대하여 $\rho$는 0부터 1까지 변하고
고정된 $\theta$에 대하여 $\phi$는 0부터 $\pi$까지 변하고
$\theta$는 0부터 $2\pi$까지 변하므로

$$
\begin{aligned}
&\iiint_R e^{(x^2+y^2+z^2)^{3/2}}\,dV \\
= \;& \int_0^{2\pi}\int_0^{\pi}\int_0^{1} e^{(\rho^2)^{3/2}}\rho^2\sin\phi\,d\rho\,d\phi\,d\theta = \int_0^{2\pi}\int_0^{\pi}\left[\frac{1}{3}e^{\rho^3}\sin\phi\right]_0^1 d\phi\,d\theta \\
= \;& \int_0^{2\pi}\int_0^{\pi}\frac{e-1}{3}\sin\phi\,d\phi\,d\theta = \int_0^{2\pi}\left[\frac{1-e}{3}\cos\phi\right]_0^{\pi} d\theta \\
= \;& \int_0^{2\pi}\frac{2(e-1)}{3}\,d\theta = \left[\frac{2(e-1)}{3}\theta\right]_0^{2\pi} = \frac{4\pi(e-1)}{3}
\end{aligned}
$$

## ♣ 확인 문제

다음 삼중적분을 구하라.

1. $\iiint_R z\,dV$ — $R$은 원뿔면 $z=\sqrt{x^2+y^2}$과 반구면 $z=\sqrt{4-x^2-y^2}$으로 둘러싸인 영역

2. $\iiint_R z^2\,dV$ — $R$은 구면 $x^2+y^2+z^2=2$의 안쪽에 있고 원기둥 $x^2+y^2=1$의 바깥쪽에 있는 영역

적분의 영역 $D$가

$$a \leqq \phi_1(x,y) \leqq b, \qquad c \leqq \phi_2(x,y) \leqq d$$

이면 $\phi_1(x,y)$, $\phi_2(x,y)$를 각각 $u$, $v$로 치환하여 적분하는 것이 편리하다.

**일반 치환**

**1단계** $u=\phi_1(x,y)$, $v=\phi_2(x,y)$라 한 다음, $x$, $y$를 $u$, $v$의 식으로 나타낸다.

**2단계** $x=\psi_1(u,v)$, $y=\psi_2(u,v)$라 할 때

$$\iint_D f(x,y)\,dA = \int_c^d \int_a^b f(\psi_1(u,v),\psi_2(u,v))|\psi_{1u}\psi_{2v}-\psi_{1v}\psi_{2u}|\,du\,dv$$

로 계산한다.

**예제 4.** 영역 $D$가 직선 $y=x$, $y=x+5$, $y=2-x$, $y=4-x$로 둘러싸인 영역일 때, $\displaystyle\iint_D \frac{e^{x-y}}{x+y}\,dA$를 구하라.

1단계 $D$는 $-5 \leqq x-y \leqq 0$, $2 \leqq x+y \leqq 4$인 영역이므로 $u=x-y$, $v=x+y$라 하면

$$x=\frac{u+v}{2}, \qquad y=\frac{v-u}{2}$$

2단계 $\psi_1(u,v)=\dfrac{u+v}{2}$, $\psi_2(u,v)=\dfrac{v-u}{2}$이므로

$$\begin{aligned}\iint_D \frac{e^{x-y}}{x+y}\,dA &= \int_2^4 \int_{-5}^0 \frac{e^u}{v}\left|\frac{1}{2}\cdot\frac{1}{2}-\frac{1}{2}\cdot\left(-\frac{1}{2}\right)\right|du\,dv = \int_2^4 \left[\frac{e^u}{2v}\right]_{-5}^0 dv \\ &= \int_2^4 \frac{1-e^{-5}}{2v}\,dv = \left[\frac{1-e^{-5}}{2}\ln|v|\right]_2^4 = \frac{(1-e^{-5})(\ln 4-\ln 2)}{2}\end{aligned}$$

## ♣ 확인 문제

다음 이중적분을 구하라.

1. $\displaystyle\iint_D \frac{e^{y-\sqrt{x}}}{2\sqrt{x}}\,dA$ $D$는 곡선 $y=\sqrt{x}$, $y=\sqrt{x}+2$, $y=4-\sqrt{x}$, $y=6-\sqrt{x}$로 둘러싸인 영역

## 5.2 연습문제

다음 이중적분을 구하라.

1. $\displaystyle\iint_D x^2y\,dA$ $D$는 중심이 원점이고 반지름의 길이가 5인 반원

2. $\displaystyle\iint_D \sin(x^2+y^2)\,dA$ $D$는 $1 \leqq x^2+y^2 \leqq 9$인 제1사분면의 영역

3. $\displaystyle\iint_D e^{-x^2-y^2}\,dA$ $D$는 반원 $x=\sqrt{4-y^2}$과 $y$축으로 둘러싸인 영역

4. $\displaystyle\iint_D \arctan\frac{y}{x}\,dA$ $D$는 $1 \leqq x^2+y^2 \leqq 4$, $0 \leqq y \leqq x$인 영역

다음 삼중적분을 구하라.

5. $\displaystyle\iiint_R \sqrt{x^2+y^2}\,dV$ $R$은 원기둥 $x^2+y^2=16$과 평면 $z=-5$, $z=4$로 둘러싸인 영역

6. $\displaystyle\iiint_R (x+y+z)\,dV$ $R$은 $z \leqq 4-x^2-y^2$, $x \geqq 0$, $y \geqq 0$, $z \geqq 0$인 영역

7. $\displaystyle\iiint_R x^2\,dV$ $R$은 원기둥 $x^2+y^2=1$의 안쪽에서 평면 $z=0$과 원뿔면 $z^2=4x^2+4y^2$ 사이의 영역

8. $\displaystyle\iiint_R (x^2+y^2+z^2)^2\,dV$ $R$은 중심이 원점이고 반지름의 길이가 5인 공

9. $\displaystyle\iiint_R (x^2+y^2)\,dV$ $R$은 두 구면 $x^2+y^2+z^2=4$, $x^2+y^2+z^2=9$ 사이의 영역

10. $\displaystyle\iiint_R xe^{x^2+y^2+z^2}\,dV$ $R$은 단위공 $x^2+y^2+z^2 \leqq 1$에서 $x \geqq 0$, $y \geqq 0$, $z \geqq 0$인 부분

다음 이중적분을 구하라.

11. $\displaystyle\iint_D xy\,dA$ $D$는 직선 $y=x$, $y=3x$와 곡선 $xy=1$, $xy=3$으로 둘러싸인 제1사분면의 영역

12. $\displaystyle\iint_D \frac{x-2y}{3x-y}\,dA$ $D$는 직선 $x-2y=0$, $x-2y=4$, $3x-y=1$, $3x-y=8$로 둘러싸인 평행사변형

13. $\displaystyle\iint_D e^{x+y}\,dA$ $D$는 $|x|+|y| \leqq 1$인 영역

다음 반복적분을 구하라.

14. $\displaystyle\int_0^1 \int_y^{\sqrt{2-y^2}} (x+y)\,dx\,dy$

15. $\displaystyle\int_{-2}^2 \int_{-\sqrt{4-x^2}}^{\sqrt{4-x^2}} \sqrt{x^2+y^2}\,dy\,dx$

16. $\displaystyle\int_{-3}^3 \int_0^{\sqrt{9-x^2}} \sin(x^2+y^2)\,dy\,dx$

17. $\displaystyle\int_0^2 \int_{-\sqrt{4-x^2}}^{\sqrt{4-x^2}} e^{-x^2-y^2}\,dy\,dx$

18. $\displaystyle\int_{-1}^1 \int_{-\sqrt{1-x^2}}^{\sqrt{1-x^2}} \int_0^{\sqrt{x^2+y^2}} 3z^2\,dz\,dy\,dx$

19. $\displaystyle\int_{-2}^2 \int_{-\sqrt{4-y^2}}^{\sqrt{4-y^2}} \int_{\sqrt{x^2+y^2}}^2 xz\,dz\,dx\,dy$

20. $\displaystyle\int_{-3}^3 \int_{-\sqrt{9-x^2}}^0 \int_0^{x^2+y^2} (x^2+y^2)\,dz\,dy\,dx$

21. $\displaystyle\int_0^2 \int_{-\sqrt{4-y^2}}^{\sqrt{4-y^2}} \int_{\sqrt{x^2+y^2}}^{\sqrt{8-x^2-y^2}} 2\,dz\,dx\,dy$

22. $\displaystyle\int_0^1 \int_0^{\sqrt{1-x^2}} \int_{\sqrt{x^2+y^2}}^{\sqrt{2-x^2-y^2}} xy\,dz\,dy\,dx$

23. $\displaystyle\int_0^1 \int_{-\sqrt{1-x^2}}^{\sqrt{1-x^2}} \int_{-\sqrt{1-x^2-y^2}}^{\sqrt{1-x^2-y^2}} \sqrt{x^2+y^2+z^2}\,dz\,dy\,dx$

24. $\displaystyle\int_{-2}^2 \int_0^{\sqrt{4-x^2}} \int_{\sqrt{x^2+y^2}}^{\sqrt{8-x^2-y^2}} (x^2+y^2+z^2)^{3/2}\,dz\,dy\,dx$

25. $\displaystyle\int_{-2}^2 \int_0^{\sqrt{4-x^2}} \int_{-\sqrt{4-x^2-y^2}}^0 e^{\sqrt{x^2+y^2+z^2}}\,dz\,dy\,dx$

26. $\displaystyle\int_{-2}^2 \int_{-\sqrt{4-x^2}}^{\sqrt{4-x^2}} \int_{2-\sqrt{4-x^2-y^2}}^{2+\sqrt{4-x^2-y^2}} (x^2+y^2+z^2)^{3/2}\,dz\,dy\,dx$

## 5.3. 넓이, 부피, 질량과 질량중심

일변수함수의 적분이 함수의 그래프와 $x$축 사이의 넓이였듯이, 이변수함수의 적분은 함수의 그래프와 $xy$평면 사이의 부피이다.

**그래프 밑의 부피**

평면의 영역 $D$와 곡면 $z = f(x, y)$ 사이의 부피는

$$\iint_D f(x, y)\, dA \ (\text{단, } f(x, y) \geqq 0)$$

**예제 1.** 평면 $x + 2y + z = 2$, $x = 2y$, $x = 0$, $z = 0$으로 둘러싸인 사면체의 부피를 구하라.

풀이 평면 $x + 2y + z = 2$, $z = 0$은 그래프 $z = 2 - x - 2y$, $z = 0$이므로 이는 직선

$$2 - x - 2y = 0, \qquad x = 2y, \qquad x = 0$$

으로 둘러싸인 $xy$평면의 영역 $D$와 그래프 $z = 2 - x - 2y$ 사이의 부피이다. $D$에서

고정된 $x$에 대하여 $y$는 $\frac{x}{2}$부터 $1 - \frac{x}{2}$까지 변하고
$x$는 $0$부터 $1$까지 변하므로

$$\begin{aligned}\iint_D (2 - x - 2y)\, dA &= \int_0^1 \int_{x/2}^{1-x/2} (2 - x - 2y)\, dy\, dx = \int_0^1 \Big[2y - xy - y^2\Big]_{x/2}^{1-x/2} dx \\ &= \int_0^1 (x^2 - 2x + 1)\, dx = \left[\frac{1}{3}x^3 - x^2 + x\right]_0^1 = \frac{1}{3}\end{aligned}$$

### ♣ 확인 문제

다음 곡면으로 둘러싸인 영역의 부피를 구하라.

1. $2x + 3y + z = 6$, $x = 0$, $y = 0$, $z = 0$
2. $z = \sin y$, $z = -1$, $y = x$, $y = 2 - x$, $y = 0$

**영역의 넓이**

평면의 영역 $D$의 넓이는

$$\iint_D 1\, dA$$

**예제 2.** 극좌표계로 나타낸 곡선 $r = \cos 2\theta$의 한 고리로 둘러싸인 영역의 넓이를 구하라.

풀이 곡선 $r = \cos 2\theta$는 $\theta = \frac{\pi}{4}, \frac{3}{4}\pi$일 때 원점을 지나므로 한 고리는 $\frac{\pi}{4} \leqq \theta \leqq \frac{3}{4}\pi$인 부분이다. 한 고리로 둘러싸인 영역 $D$에서 극좌표계로

고정된 $\theta$에 대하여 $r$은 $0$부터 $\cos 2\theta$까지 변하고

$\theta$는 $\frac{\pi}{4}$부터 $\frac{3}{4}\pi$까지 변하므로

극좌표치환을 하면

$$\begin{aligned}\iint_D 1\, dA &= \int_{\pi/4}^{3\pi/4} \int_0^{\cos 2\theta} r\, dr\, d\theta = \int_{\pi/4}^{3\pi/4} \left[\frac{1}{2} r^2\right]_0^{\cos 2\theta} d\theta \\ &= \int_{\pi/4}^{3\pi/4} \frac{1}{2} \cos^2 2\theta\, d\theta = \int_{\pi/4}^{3\pi/4} \frac{1 + \cos 4\theta}{4} d\theta = \left[\frac{1}{4}\theta + \frac{1}{16} \sin 4\theta\right]_{\pi/4}^{3\pi/4} = \frac{\pi}{8}\end{aligned}$$

## ♣ 확인 문제

다음 곡선으로 둘러싸인 영역의 넓이를 구하라.

1. $y = x^2,\ y = 8 - x^2$

2. $y = 2x,\ y = 3 - x,\ y = 0$

3. $y = x^2,\ x = y^2$

**영역의 부피**

공간의 영역 $R$의 부피는

$$\iiint_R 1\,dA$$

**예제 3.** 원뿔면 $z=\sqrt{x^2+y^2}$과 구면 $x^2+y^2+z^2=z$로 둘러싸인 영역의 부피를 구하라.

풀이 원뿔면 $z=\sqrt{x^2+y^2}$과 구면 $x^2+y^2+z^2=z$의 구면좌표계의 방정식은 각각 $\rho\cos\phi=\rho\sin\phi$와 $\rho^2=\rho\cos\phi$, 즉 $\cos\phi=\sin\phi$와 $\rho=\cos\phi$이므로

고정된 $\phi, \theta$에 대하여 $\rho$는 $0$부터 $\cos\phi$까지 변하고
고정된 $\theta$에 대하여 $\phi$는 $0$부터 $\frac{\pi}{4}$까지 변하고
$\theta$는 $0$부터 $2\pi$까지 변하며

$R$의 부피는

$$\begin{aligned}\iiint_R 1\,dA &= \int_0^{2\pi}\int_0^{\pi/4}\int_0^{\cos\phi}\rho^2\sin\phi\,d\rho\,d\phi\,d\theta = \int_0^{2\pi}\int_0^{\pi/4}\left[\frac{1}{3}\rho^3\sin\phi\right]_0^{\cos\phi}d\phi\,d\theta \\ &= \int_0^{2\pi}\int_0^{\pi/4}\frac{1}{3}\cos^3\phi\sin\phi\,d\phi\,d\theta = \int_0^{2\pi}\left[-\frac{1}{12}\cos^4\phi\right]_0^{\pi/4}d\theta \\ &= \int_0^{2\pi}\frac{1}{16}\,d\theta = \left[\frac{1}{16}\theta\right]_0^{2\pi} = \frac{\pi}{8}\end{aligned}$$

## ♣ 확인 문제

다음 곡면으로 둘러싸인 영역의 부피를 구하라.

1. $z=x^2+y^2$, $z=0$, $x^2+y^2=9$
2. $z=\sqrt{x^2+y^2}$, $z=0$, $x^2+y^2=4$
3. $z=6-x-y$, $x=0$, $y=0$, $z=0$
4. 영역 $0\leqq y\leqq x$에서 곡면 $z=4-x^2-y^2$, $z=x^2+y^2$

**평면의 영역의 질량과 질량중심**

평면의 영역 $D$의 점 $(x, y)$에서의 밀도가 $\rho(x, y)$이면 $D$의 질량은

$$\iint_D \rho(x, y)\, dA$$

질량중심의 $x$좌표, $y$좌표는 각각

$$\frac{1}{m}\iint_D x\rho(x, y)\, dA, \qquad \frac{1}{m}\iint_D y\rho(x, y)\, dA$$

여기에서 $m$은 $D$의 질량이다.

**예제 4.** 꼭지점이 $(0, 0)$, $(1, 0)$, $(0, 2)$인 삼각형 안쪽의 점 $(x, y)$에서의 밀도가 $1 + 3x + y$일 때, 이 삼각형의 질량과 질량중심의 $x$좌표, $y$좌표를 구하라.

풀이 꼭지점이 $(0, 0)$, $(1, 0)$, $(0, 2)$인 삼각형의 안쪽에서

고정된 $x$에 대하여 $y$는 $0$부터 $2 - 2x$까지 변하고
$x$는 $0$부터 $1$까지 변하므로

질량은

$$\int_0^1 \int_0^{2-2x} (1 + 3x + y)\, dy\, dx = \int_0^1 \left[ y + 3xy + \frac{1}{2}y^2 \right]_0^{2-2x} dx$$
$$= \int_0^1 (4 - 4x^2)\, dx = \left[ 4x - \frac{4}{3}x^3 \right]_0^1 = \frac{8}{3}$$

질량중심의 $x$좌표는

$$\frac{3}{8}\int_0^1 \int_0^{2-2x} x(1 + 3x + y)\, dy\, dx = \frac{3}{8}\int_0^1 \left[ xy + 3x^2y + \frac{1}{2}xy^2 \right]_0^{2-2x} dx$$
$$= \frac{3}{8}\int_0^1 (4x - 4x^3)\, dx = \frac{3}{8}\left[ 2x^2 - x^4 \right]_0^1 = \frac{3}{8}$$

$y$좌표는

$$\frac{3}{8}\int_0^1 \int_0^{2-2x} y(1 + 3x + y)\, dy\, dx = \frac{3}{8}\int_0^1 \left[ \frac{1 + 3x}{2}y^2 + \frac{1}{3}y^3 \right]_0^{2-2x} dx$$
$$= \frac{3}{8}\int_0^1 \frac{14 - 18x - 6x^2 + 10x^3}{3}\, dx = \frac{3}{8}\left[ \frac{14}{3}x - 3x^2 - \frac{2}{3}x^3 + \frac{5}{6}x^4 \right]_0^1 = \frac{11}{16}$$

**공간의 영역의 질량과 질량중심**

공간의 영역 $R$의 점 $(x, y, z)$에서의 밀도가 $\rho(x, y, z)$이면 $R$의 질량은

$$\iiint_R \rho(x, y, z)\, dV$$

질량중심의 $x$좌표, $y$좌표, $z$좌표는 각각

$$\frac{1}{m}\iiint_R x\rho(x, y, z)\, dV, \qquad \frac{1}{m}\iiint_R y\rho(x, y, z)\, dV, \qquad \frac{1}{m}\iiint_R z\rho(x, y, z)\, dV$$

여기에서 $m$은 $R$의 질량이다.

**예제 5.** 곡면 $x = y^2$과 평면 $x = z$, $z = 0$, $x = 1$로 둘러싸인 영역 $R$의 점 $(x, y, z)$에서의 밀도가 1일 때, $R$의 질량중심의 $x$좌표, $y$좌표, $z$좌표를 구하라.

풀이 $R$에서

| | |
|---|---|
| 고정된 $x$, $y$에 대하여 | $z$는 0부터 $x$까지 변하고 |
| 고정된 $y$에 대하여 | $x$는 $y^2$부터 1까지 변하고 |
| | $y$는 $-1$부터 1까지 변하므로 |

질량은

$$\begin{aligned}\int_{-1}^{1}\int_{y^2}^{1}\int_{0}^{x} 1\, dz\, dx\, dy &= \int_{-1}^{1}\int_{y^2}^{1}\Big[z\Big]_0^x\, dx\, dy \\ &= \int_{-1}^{1}\int_{y^2}^{1} x\, dx\, dy = \int_{-1}^{1}\left[\frac{1}{2}x^2\right]_{y^2}^{1} dy \\ &= \int_{-1}^{1}\left(\frac{1}{2} - \frac{1}{2}y^4\right) dy = \left[\frac{1}{2}y - \frac{1}{10}y^5\right]_{-1}^{1} = \frac{4}{5}\end{aligned}$$

질량중심의 $x$좌표는

$$\begin{aligned}\frac{5}{4}\int_{-1}^{1}\int_{y^2}^{1}\int_{0}^{x} x\, dz\, dx\, dy &= \frac{5}{4}\int_{-1}^{1}\int_{y^2}^{1}\Big[xz\Big]_0^x\, dx\, dy \\ &= \frac{5}{4}\int_{-1}^{1}\int_{y^2}^{1} x^2\, dx\, dy = \frac{5}{4}\int_{-1}^{1}\left[\frac{1}{3}x^3\right]_{y^2}^{1} dy\end{aligned}$$

$$= \frac{5}{4}\int_{-1}^{1}\left(\frac{1}{3}-\frac{1}{3}y^6\right)dy = \frac{5}{4}\left[\frac{1}{3}y-\frac{1}{21}y^7\right]_{-1}^{1} = \frac{5}{7}$$

$y$ 좌표는

$$\begin{aligned}
&\frac{5}{4}\int_{-1}^{1}\int_{y^2}^{1}\int_{0}^{x} y\,dz\,dx\,dy = \frac{5}{4}\int_{-1}^{1}\int_{y^2}^{1}\Big[yz\Big]_0^x\,dx\,dy \\
= \ &\frac{5}{4}\int_{-1}^{1}\int_{y^2}^{1} xy\,dx\,dy = \frac{5}{4}\int_{-1}^{1}\left[\frac{1}{2}x^2y\right]_{y^2}^{1}dy \\
= \ &\frac{5}{4}\int_{-1}^{1}\left(\frac{1}{2}y-\frac{1}{2}y^5\right)dy = \frac{5}{4}\left[\frac{1}{4}y^2-\frac{1}{12}y^6\right]_{-1}^{1} = 0
\end{aligned}$$

$z$ 좌표는

$$\begin{aligned}
&\frac{5}{4}\int_{-1}^{1}\int_{y^2}^{1}\int_{0}^{x} z\,dz\,dx\,dy = \frac{5}{4}\int_{-1}^{1}\int_{y^2}^{1}\left[\frac{1}{2}z^2\right]_0^x\,dx\,dy \\
= \ &\frac{5}{4}\int_{-1}^{1}\int_{y^2}^{1}\frac{x^2}{2}\,dx\,dy = \frac{5}{4}\int_{-1}^{1}\left[\frac{1}{6}x^3\right]_{y^2}^{1}dy \\
= \ &\frac{5}{4}\int_{-1}^{1}\left(\frac{1}{6}-\frac{1}{6}y^6\right)dy = \frac{5}{4}\left[\frac{1}{6}y-\frac{1}{42}y^7\right]_{-1}^{1} = \frac{5}{14}
\end{aligned}$$

## ♣ 확인 문제

다음 곡선으로 둘러싸인 영역의 점 $(x,y)$에서의 밀도가 $\rho(x,y)$일 때, 이 영역의 질량과 질량중심을 구하라.

1. $y=x^3,\ y=x^2,\ \rho(x,y)=4$

2. $x=y^2,\ x=1,\ \rho(x,y)=y^2+x+1$

3. $y=x^2\ (x \geqq 0),\ y=4,\ x=0,\ \rho(x,y)=x$

다음 곡면으로 둘러싸인 영역의 점 $(x,y,z)$에서의 밀도가 $\rho(x,y,z)$일 때, 이 영역의 질량과 질량중심을 구하라.

4. $z=x^2+y^2,\ z=4,\ \rho(x,y,z)=4$

5. $x+3y+z=6,\ x=0,\ y=0,\ z=0,\ \rho(x,y,z)=10+x$

## 5.3 연습문제

다음 영역의 부피를 구하라.

1. $xy$ 평면의 직선 $x+y=1$과 포물선 $x^2+y=1$로 둘러싸인 영역과 평면 $x-2y+z=1$ 사이의 영역

2. $xy$ 평면의 꼭지점이 $(1,1)$, $(4,1)$, $(1,2)$인 삼각형과 곡면 $z=xy$ 사이의 영역

3. 평면 $3x+2y+z=6$, $x=0$, $y=0$, $z=0$으로 둘러싸인 영역

4. 곡면 $z=x^2$, $y=x^2$과 평면 $z=0$, $y=4$로 둘러싸인 영역

5. 원기둥 $x^2+y^2=1$에서 $x \geqq 0$, $y \geqq 0$, $z \geqq 0$인 부분과 평면 $y=z$, $x=0$, $z=0$으로 둘러싸인 영역

6. 곡면 $y=1-x^2$, $y=x^2-1$과 평면 $x+y+z=2$, $2x+2y-z+10=0$으로 둘러싸인 영역

다음 영역의 부피를 구하라.

7. 원뿔면 $z=\sqrt{x^2+y^2}$ 아래에 있고 원판 $x^2+y^2 \leqq 4$ 위에 있는 영역

8. 곡면 $-x^2-y^2+z^2=1$과 평면 $z=2$로 둘러싸인 영역

9. 원뿔면 $z=\sqrt{x^2+y^2}$ 위에 있고 $x^2+y^2+z^2=1$ 아래에 있는 영역

10. 원기둥 $x^2+y^2=4$와 타원면 $4x^2+4y^2+z^2=64$의 안쪽에 있는 영역

다음 영역의 넓이를 구하라.

11. 곡선 $r=\cos 3\theta$의 한 고리로 둘러싸인 영역

12. 원 $(x-1)^2+y^2=1$의 안쪽, 원 $x^2+y^2=1$의 바깥쪽에 있는 영역

다음 영역의 부피를 구하라.

13. 평면 $2x+y+z=4$, $x=0$, $y=0$, $z=0$으로 둘러싸인 사면체

14. 원기둥 $x=y^2$과 평면 $z=0$, $y+z=1$로 둘러싸인 영역

15. 원뿔면 $\phi=\dfrac{\pi}{6}$, $\phi=\dfrac{\pi}{3}$와 구면 $\rho=a$로 둘러싸인 영역

16. 원뿔면 $\phi=\dfrac{\pi}{3}$와 구면 $\rho=4\cos\phi$로 둘러싸인 영역

영역 $D$가 다음과 같고 $D$의 점 $(x, y)$에서의 밀도가 $\rho(x, y)$일 때, $D$의 질량과 질량중심을 구하라.

17. $D$는 $1 \leqq x \leqq 3$, $1 \leqq y \leqq 4$인 영역, $\rho(x, y) = y^2$
18. $D$는 꼭지점이 $(0,0)$, $(2,1)$, $(0,3)$인 삼각형, $\rho(x, y) = x + y$
19. $D$는 곡선 $y = 1 - x^2$, $y = 0$으로 둘러싸인 영역, $\rho(x, y) = y$
20. $D$는 $0 \leqq y \leqq \sin \dfrac{\pi x}{L}$, $0 \leqq x \leqq L$인 영역, $\rho(x, y) = y$
21. $D$는 $x^2 + y^2 \leqq 1$인 영역, $\rho(x, y) = |y|$
22. $D$는 $x$축과 반원 $y = \sqrt{1 - x^2}$, $y = \sqrt{4 - x^2}$으로 둘러싸인 영역, $\rho(x, y) = \sqrt{x^2 + y^2}$

영역 $R$이 다음과 같고 $R$의 점 $(x, y, z)$에서의 밀도가 $\rho(x, y, z)$일 때, $R$의 질량과 질량중심을 구하라.

23. $R$은 정육면체 $0 \leqq x \leqq a$, $0 \leqq y \leqq a$, $0 \leqq z \leqq a$, $\rho(x, y, z) = x^2 + y^2 + z^2$
24. $R$은 곡면 $z = 4x^2 + 4y^2$과 평면 $z = a$ $(a > 0)$로 둘러싸인 영역, $\rho(x, y, z) = k$
25. $R$은 반지름의 길이가 $a$인 공의 상반부, $\rho(x, y, z) = 1$
26. $R$은 원뿔면 $z = \sqrt{x^2 + y^2}$과 구면 $x^2+y^2+z^2 = 1$로 둘러싸인 영역, $\rho(x, y, z) = 1$

CHAPTER

# 함수의 선적분과 면적분



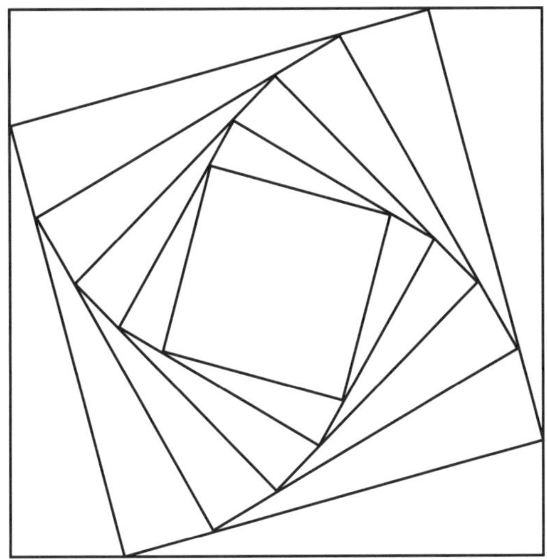

## 6.1. 함수의 선적분

곡선 $C$에서 함수 $f$의 적분을 **선적분**이라 하고 $\int_C f\,ds$ 로 나타낸다.

**함수의 선적분**

곡선 $C$가 $r(t)$ $(a \leqq t \leqq b)$로 매개화될 때, 함수 $f$의 선적분은

$$\int_C f\,ds = \int_a^b f(r(t))|r'(t)|\,dt$$

조언 1 선적분을 구하려면 먼저 곡선을 매개화하여야 한다. 한 번에 매개화하기 어려운 곡선은 여러 개로 나누어 매개화한 다음, 각각을 계산하여 더하면 된다.

조언 2 곡선 $C$가 $r(t) = (f(t), g(t), h(t))$로 매개화될 때

$$x \to f(t), \quad y \to g(t), \quad z \to h(t), \qquad ds \to |r'(t)|\,dt$$

라고 기억하면 함수 $f$를 구하는 과정을 거치지 않고 선적분을 구할 수 있다.

**예제 1.** 곡선 $C$가 $(0,0)$에서 $(1,1)$까지의 포물선 $y = x^2$과 $(1,1)$에서 $(1,2)$까지의 선분으로 이루어져 있을 때, $\int_C 2x\,ds$를 구하라.

풀이 $C$를 두 부분으로 나누어

$$r_1(t) = (t, t^2)\ (0 \leqq t \leqq 1), \qquad r_2(t) = (1, t)\ (1 \leqq t \leqq 2)$$

로 매개화하면 $|r_1{}'(t)| = |(1, 2t)| = \sqrt{1+4t^2}$, $|r_2{}'(t)| = |(0,1)| = 1$이므로

$$\int_C 2x\,ds = \int_0^1 2t\sqrt{1+4t^2}\,dt + \int_1^2 2\,dt = \left[\frac{1}{6}(1+4t)^{3/2}\right]_0^1 + \Big[2t\Big]_1^2 = \frac{11+5\sqrt{5}}{6}$$

### ♣ 확인 문제

1. 곡선 $C$가 $(1,2)$에서 $(3,5)$까지의 선분일 때, $\int_C 2x\,ds$를 구하라.

**곡선의 질량과 질량중심**

점 $(x, y)$ 또는 $(x, y, z)$에서의 밀도가 $\rho(x, y)$ 또는 $\rho(x, y, z)$인 곡선 $C$의 질량은

$$\int_C \rho\, ds$$

질량중심의 $x$좌표, $y$좌표, $z$좌표는 각각

$$\frac{1}{m}\int_C x\rho\, ds, \qquad \frac{1}{m}\int_C y\rho\, ds, \qquad \frac{1}{m}\int_C z\rho\, ds$$

여기에서 $m$은 $C$의 질량이다.

**예제 2.** 반원 $x^2 + y^2 = 1$, $y \geqq 0$ 모양의 철사 위의 점 $(x, y)$에서의 밀도가 $1 - y$일 때, 이 철사의 질량중심을 구하라.

풀이 반원 $x^2 + y^2 = 1$, $y \geqq 0$을 $r(t) = (\cos t, \sin t)$ $(0 \leqq t \leqq \pi)$로 매개화하면 $|r'(t)| = |(-\sin t, \cos t)| = 1$이므로 철사의 질량은

$$\int_C (1 - y)\, ds = \int_0^\pi (1 - \sin t)\, dt = \Big[t + \cos t\Big]_0^\pi = \pi - 2$$

질량중심의 $x$좌표는

$$\frac{1}{\pi - 2}\int_C x(1 - y)\, ds = \frac{1}{\pi - 2}\int_0^\pi (\cos t)(1 - \sin t)\, dt = \frac{1}{\pi - 2}\left[\sin t - \frac{1}{2}\sin^2 t\right]_0^\pi = 0$$

$y$좌표는

$$\begin{aligned} &\frac{1}{\pi - 2}\int_C y(1 - y)\, ds = \frac{1}{\pi - 2}\int_0^\pi (\sin t)(1 - \sin t)\, dt \\ = \ &\frac{1}{\pi - 2}\left[-\cos t - \frac{1}{2}t + \frac{1}{4}\sin 2t\right]_0^\pi = \frac{4 - \pi}{2(\pi - 2)} \end{aligned}$$

## ♣ 확인 문제

1. 사분원 $x^2 + y^2 = 4$, $x \geqq 0$, $y \geqq 0$ 모양의 철사 위의 점 $(x, y)$에서의 밀도가 $3x$일 때, 이 철사의 질량과 질량중심을 구하라.

## 6.1 연습문제

다음 선적분을 구하라.

1. $\int_C xy\,ds$ $C$는 $r(t) = (t^2, 2t)$ $(0 \leqq t \leqq 1)$로 매개화되는 곡선
2. $\int_C y^3\,ds$ $C$는 $r(t) = (t^3, t)$ $(0 \leqq t \leqq 2)$로 매개화되는 곡선
3. $\int_C (2 + x^2 y)\,ds$ $C$는 원 $x^2 + y^2 = 1$에서 $y \geqq 0$인 부분
4. $\int_C xy^4\,ds$ $C$는 원 $x^2 + y^2 = 16$에서 $x \geqq 0$인 부분
5. $\int_C x \sin y\,ds$ $C$는 $(0, 3)$에서 $(4, 6)$까지의 선분
6. $\int_C xyz\,ds$ $C$는 $r(t) = (2\sin t, t, -2\cos t)$ $(0 \leqq t \leqq \pi)$로 매개화되는 곡선
7. $\int_C xyz^2\,ds$ $C$는 $(-1, 5, 0)$에서 $(1, 6, 4)$까지의 선분
8. $\int_C xe^{yz}\,ds$ $C$는 $(0, 0, 0)$에서 $(1, 2, 3)$까지의 선분
9. $\int_C y \sin z\,ds$ $C$는 $r(t) = (\cos t, \sin t, t)$ $(0 \leqq t \leqq 2\pi)$로 매개화되는 곡선
10. $\int_C (x^2 + y^2 + z^2)\,ds$ $C$는 $r(t) = (t, \cos 2t, \sin 2t)$ $(0 \leqq t \leqq 2\pi)$로 매개화되는 곡선

곡선 $C$가 다음과 같고 $C$ 위의 점 $(x, y)$에서의 밀도가 $\rho(x, y)$일 때, $C$의 질량과 질량중심을 구하라.

11. $C$는 원 $x^2 + y^2 = 4$에서 $x \geqq 0$인 부분, $\rho(x, y) = k$
12. $C$는 $r(t) = (2\sin t, 2\cos t, 3t)$ $(0 \leqq t \leqq 2\pi)$로 매개화되는 곡선, $\rho(x, y) = k$

## 6.2. 매개화된 곡면과 함수의 면적분

$$r(u,v) = (f(u,v), g(u,v), h(u,v))$$

를 **매개화된 곡면** 또는 간단히 곡면이라 한다. 이를 $x = f(u,v)$, $y = g(u,v)$, $z = h(u,v)$로 나타내기도 한다. 이 곡면에 대하여 편도함수와 같이

$$r_u = (f_u, g_u, h_u), \qquad r_v = (f_v, g_v, h_v)$$

로 나타낸다.

**접평면의 방정식**

곡면 $r(u,v)$ 위의 점 $r(u_0,v_0)$에서의 접평면의 방정식은

$$(r_u(u_0,v_0) \times r_v(u_0,v_0)) \cdot ((x,y,z) - r(u_0,v_0)) = 0$$

**예제 1.** 곡면 $r(u,v) = (u^2, v^2, u+2v)$ 위의 점 $(1,1,3)$에서의 접평면의 방정식을 구하라.

풀이 $r(u,v) = (1,1,3)$인 $(u,v)$가 $(1,1)$이므로

$$\begin{aligned} r_u &= (2u,0,1) & r_u(1,1) &= (2,0,1) \\ r_v &= (0,2v,2) & r_v(1,1) &= (0,2,2) \\ & & r_u(1,1) \times r_v(1,1) &= (-2,-4,4) \end{aligned}$$

접평면의 방정식은

$$(-2,-4,4) \cdot (x-1, y-1, z-3) = 0 \iff x + 2y - 2z = -3$$

### ♣ 확인 문제

다음 곡면 위의 점에서의 접평면의 방정식을 구하라.

1. $r(u,v) = (u^2+1, v^3+1, u+v)$, $\quad (5,2,3)$
2. $r(u,v) = (1-u^2-v^2, -v, -u)$, $\quad (-1,-1,-1)$

**곡면의 넓이**

곡면 $S$가 $r(u,v)$로 매개화될 때, $S$의 넓이는

$$\iint_D |r_u \times r_v| \, dA$$

여기에서 $D$는 매개변수 $u$, $v$의 영역이다.

**예제 2.** 반지름의 길이가 1인 구면의 넓이를 구하라.

풀이 반지름의 길이가 1인 구면을

$$r(u,v) = (\sin u \cos v, \sin u \sin v, \cos u) \ (0 \leqq u \leqq \pi, \ 0 \leqq v \leqq 2\pi)$$

로 매개화하면 $0 \leqq u \leqq \pi$일 때 $\sin u \geqq 0$이므로

$$\begin{aligned} r_u &= (\cos u \cos v, \cos u \sin v, -\sin u) \\ r_v &= (-\sin u \sin v, \sin u \cos v, 0) \\ r_u \times r_v &= (\sin^2 u \cos v, \sin^2 u \sin v, \sin u \cos u) \\ |r_u \times r_v| &= |\sin u| = \sin u \end{aligned}$$

$u$, $v$의 영역 $0 \leqq u \leqq \pi$, $0 \leqq v \leqq 2\pi$를 $D$라 하면 넓이는

$$\iint_D \sin u \, dA = \int_0^{2\pi} \int_0^{\pi} \sin u \, du \, dv = \int_0^{2\pi} \Big[-\cos u\Big]_0^{\pi} dv = \int_0^{2\pi} 2 \, dv = \Big[2v\Big]_0^{2\pi} = 4\pi$$

## ♣ 확인 문제

다음 곡면의 넓이를 구하라.

1. 원기둥 $x^2 + y^2 = 4$로 둘러싸인 평면 $3x + y + 2z = 6$

2. 평면 $z = 1$ 위에 있는 구면 $x^2 + y^2 + z^2 = 4$

**그래프의 넓이**

곡면 $z = f(x, y)$ 의 넓이는

$$\iint_D \sqrt{1 + {f_x}^2 + {f_y}^2}\, dA$$

여기에서 $D$는 $x$, $y$의 영역이다.

**예제 3.** 평면 $z = 9$ 아래에 있는 포물면 $z = x^2 + y^2$ 의 넓이를 구하라.

풀이 $f(x, y) = x^2 + y^2$ 이므로 $f_x = 2x$, $f_y = 2y$ 이고

$$\sqrt{1 + {f_x}^2 + {f_y}^2} = \sqrt{1 + 4x^2 + 4y^2}$$

평면 $z = 9$는 포물면 $z = x^2 + y^2$과 $x^2 + y^2 = 9$, $z = 9$에서 만나므로 $x$, $y$의 영역은 $x^2 + y^2 \leqq 9$이다. 이를 $D$라 하면 극좌표치환에 의하여 넓이는

$$\begin{aligned}\iint_D \sqrt{1 + 4x^2 + 4y^2}\, dA &= \int_0^{2\pi} \int_0^3 \sqrt{1 + 4r^2} \cdot r\, dr\, d\theta = \int_0^{2\pi} \left[\frac{1}{12}(1 + 4r^2)^{3/2}\right]_0^3 d\theta \\ &= \int_0^{2\pi} \frac{1}{12}(37\sqrt{37} - 1)\, d\theta = \left[\frac{1}{12}(37\sqrt{37} - 1)\theta\right]_0^{2\pi} \\ &= \frac{\pi}{6}(37\sqrt{37} - 1)\end{aligned}$$

## ♣ 확인 문제

다음 곡면의 넓이를 구하라.

1. 평면 $y = x$, $y = 0$, $x = 4$로 둘러싸인 곡면 $z = x^2 + 2y$
2. 평면 $z = 0$ 위에 있는 곡면 $z = 4 - x^2 - y^2$
3. 평면 $z = 2$ 아래에 있는 곡면 $z = \sqrt{x^2 + y^2}$
4. 평면 $z = 0$ 위에 있는 곡면 $z = \sqrt{4 - x^2 - y^2}$

곡면 $S$에서 함수 $f$의 적분을 **면적분**이라 하고 $\iint_S f\,dS$로 나타낸다.

**함수의 면적분**

곡면 $S$가 $r(u,v)$로 매개화될 때, 함수 $f$의 면적분은

$$\iint_S f\,dS = \iint_D f(r(u,v))|r_u \times r_v|\,dA$$

여기에서 $D$는 매개변수 $u$, $v$의 영역이다.

조언 1 면적분을 구하려면 먼저 곡면을 매개화하여야 한다.

조언 2 곡면 $S$가 $r(u,v)=(f(u,v),g(u,v),h(u,v))$로 매개화될 때

$$x \to f(u,v), \quad y \to g(u,v), \quad z \to h(u,v), \qquad dS \to |r_u \times r_v|\,dA$$

라고 기억하면 함수 $f$를 구하는 과정을 거치지 않고 면적분을 구할 수 있다.

**예제 4.** 곡면 $S$가 곡면 $z = x + y^2$에서 $0 \leqq x \leqq 1$, $0 \leqq y \leqq 2$인 부분일 때, $\iint_S y\,dS$를 구하라.

풀이 $S$를 $r(u,v)=(u,v,u+v^2)$ $(0 \leqq u \leqq 1,\ 0 \leqq v \leqq 2)$으로 매개화하면

$$r_u = (1,0,1), \quad r_v = (0,1,2v), \quad r_u \times r_v = (-1,-2v,1), \quad |r_u \times r_v| = \sqrt{2+4v^2}$$

$u$, $v$의 영역 $0 \leqq u \leqq 1$, $0 \leqq v \leqq 2$를 $D$라 하면

$$\begin{aligned}\iint_S y\,dS &= \iint_D v\sqrt{2+4v^2}\,dA = \int_0^2\int_0^1 v\sqrt{2+4v^2}\,du\,dv = \int_0^2 \Big[uv\sqrt{2+4v^2}\Big]_0^1 dv \\ &= \int_0^2 v\sqrt{2+4v^2}\,dv = \left[\frac{1}{12}(2+4v^2)^{3/2}\right]_0^2 = \frac{13\sqrt{2}}{3}\end{aligned}$$

## ♣ 확인 문제

1. 곡면 $S$가 반구면 $z = -\sqrt{9-x^2-y^2}$일 때, $\iint_S (x^2+y^2+z^2)^{3/2}\,dS$를 구하라.

## 6.2 연습문제

다음 곡면 위의 점에서의 접평면의 방정식을 구하라.

1. $r(u,v) = (u+v, 3u^2, u-v), \quad (2,3,0)$
2. $r(u,v) = (u\cos v, u\sin v, v), \quad \left(\frac{1}{2}, \frac{\sqrt{3}}{2}, \frac{\pi}{3}\right)$

다음 곡면의 넓이를 구하라.

3. 평면 $3x+2y+z=6$에서 $x \geqq 0$, $y \geqq 0$, $z \geqq 0$인 부분
4. 원기둥 $x^2+y^2=3$으로 둘러싸인 평면 $x+2y+3z=1$
5. 곡면 $z = \frac{2}{3}(x^{3/2}+y^{3/2})$에서 $0 \leqq x \leqq 1$, $0 \leqq y \leqq 1$인 부분
6. 원기둥 $x^2+y^2=1$로 둘러싸인 곡면 $z=xy$
7. 곡면 $y=4x+z^2$에서 $0 \leqq x \leqq 1$, $0 \leqq z \leqq 1$인 부분
8. 곡면 $r(u,v) = \left(u^2, uv, \frac{1}{2}v^2\right)$ $(0 \leqq u \leqq 1,\ 0 \leqq v \leqq 2)$

다음 면적분을 구하라.

9. $\iint_S (x+y+z)\,dS$ — $S$는 $r(u,v) = (u+v, u-v, 1+2u+v)$ $(0 \leqq u \leqq 2,\ 0 \leqq v \leqq 1)$로 매개화되는 곡면
10. $\iint_S y\,dS$ — $S$는 $r(u,v) = (u\cos v, u\sin v, v)$ $(0 \leqq u \leqq 1,\ 0 \leqq v \leqq \pi)$로 매개화되는 곡면
11. $\iint_S x^2yz\,dS$ — $S$는 평면 $z=1+2x+3y$에서 $0 \leqq x \leqq 3$, $0 \leqq y \leqq 2$인 부분
12. $\iint_S x\,dS$ — $S$는 꼭지점이 $(1,0,0)$, $(0,-2,0)$, $(0,0,4)$인 삼각형
13. $\iint_S x^2z^2\,dS$ — $S$는 원뿔면 $z^2=x^2+y^2$에서 $1 \leqq z \leqq 3$인 부분
14. $\iint_S y\,dS$ — $S$는 곡면 $y=x^2+z^2$에서 $x^2+z^2 \leqq 4$인 부분

CHAPTER 7

# 벡터장의 선적분과 면적분



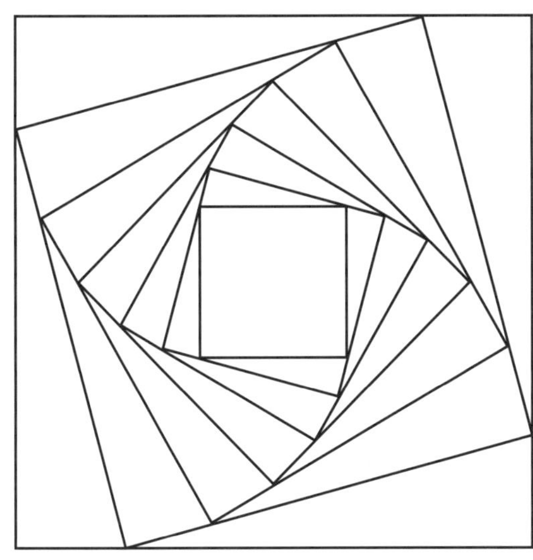

## 7.1. 선적분과 면적분

평면이나 공간의 점에 벡터를 대응시키는 함수를 **벡터장**이라 하는데, 다음 꼴

$$F(x,y) = (P(x,y), Q(x,y)) \quad \text{또는} \quad F(x,y,z) = (P(x,y,z), Q(x,y,z), R(x,y,z))$$

의 함수라 생각해도 충분하다. 이를 각각 $F = (P,Q)$, $F = (P,Q,R)$로 간단히 나타내기도 한다. 곡선 $C$에서 벡터장 $F$의 적분을 **선적분**이라 하고 $\int_C F \cdot ds$로 나타낸다.

**벡터장의 선적분**

곡선 $C$가 $r(t)$ $(a \leqq t \leqq b)$로 매개화될 때, 벡터장 $F$의 선적분은

$$\int_C F \cdot ds = \int_a^b F(r(t)) \cdot r'(t)\, dt$$

조언 1 선적분을 구하려면 먼저 곡선을 매개화하여야 한다. 한 번에 매개화하기 어려운 곡선은 여러 개로 나누어 매개화한 다음, 각각을 계산하여 더하면 된다.

조언 2 벡터장의 선적분에서는 곡선의 진행 방향에 주의하여야 한다. 폐곡선(제자리로 돌아오는 곡선)이 아닌 곡선과 공간의 폐곡선은 진행 방향이 명시되어 있다. 평면의 폐곡선은 따로 언급이 없으면 진행 방향이 반시계방향이라고 약속한다.

그러나 곡선을 매개화할 때, 매개화한 곡선의 진행 방향이 문제와 반대라고 처음부터 다시 매개화하여야 하는 것은 결코 아니다. 곡선의 진행 방향의 차이는 단지 선적분의 부호를 바꿀 뿐이다. 따라서 매개화한 곡선의 진행 방향이 문제와 반대이면 끝까지 계산한 다음 마지막에 부호만 바꾸면 된다.

조언 3 벡터장 $F = (P,Q)$의 선적분을

$$\int_C P(x,y)\, dx + Q(x,y)\, dy$$

로 나타내기도 한다. 이 경우 곡선 $C$가 $r(t) = (f(t), g(t))$로 매개화될 때

$$x \to f(t), \quad y \to g(t), \qquad dx \to f'(t)\, dt, \quad dy \to g'(t)\, dt$$

라고 기억하면 벡터장 $F$를 구하는 과정을 거치지 않고 선적분을 구할 수 있다.

**예제 1.** 곡선 $C$가 점 $(1,0)$에서 $(0,1)$까지 제1사분면에 있는 원 $x^2+y^2=1$일 때, 벡터장 $F(x,y)=(x^2,-xy)$에 대하여 $\int_C F\cdot ds$를 구하라.

풀이 $C$를

$$r(t)=(\cos t,\sin t)\ \left(0\leqq t\leqq\frac{\pi}{2}\right)$$

로 매개화하면 진행 방향이 $(1,0)$에서 $(0,1)$이고

$$F(r(t))\cdot r'(t)=(\cos^2 t,-\cos t\sin t)\cdot(-\sin t,\cos t)=-2\cos^2 t\sin t$$

이므로

$$\begin{aligned}\int_C F\cdot ds &= \int_0^{\pi/2} F(r(t))\cdot r'(t)\,dt\\ &= \int_0^{\pi/2}(-2\cos^2 t\sin t)\,dt=\left[\frac{2}{3}\cos^3 t\right]_0^{\pi/2}=-\frac{2}{3}\end{aligned}$$

## ♣ 확인 문제

선적분 $\int_C F\cdot ds$를 구하라.

1. $F(x,y)=(2x,2y)$
   $C$는 $(3,1)$에서 $(5,4)$까지의 선분

2. $F(x,y)=(y^2+x,y^2+2)$
   $C$는 $(4,0)$에서 $(0,4)$까지의 원 $x^2+y^2=16$

3. $F(x,y)=(xe^y,e^x+y^2)$
   $C$는 $(0,0)$에서 $(1,1)$까지의 곡선 $y=x^2$

곡면 $S$에서 벡터장 $F$의 적분을 **면적분**이라 하고 $\iint_S F \cdot dS$로 나타낸다.

**벡터장의 면적분**

곡면 $S$가 $r(u,v)$로 매개화될 때, 벡터장 $F$의 면적분은

$$\iint_S F \cdot dS = \iint_D F(r(u,v)) \cdot (r_u \times r_v)\, dA$$

여기에서 $D$는 매개변수 $u$, $v$의 영역이다.

조언 1 면적분을 구하려면 먼저 곡면을 매개화하여야 한다.

조언 2 벡터장의 면적분에서는 곡면의 법선벡터의 방향에 주의하여야 한다. 폐곡면(사방이 둘러싸인 곡면)이 아닌 곡면은 법선벡터의 방향이 명시되어 있다. 폐곡면은 따로 언급이 없으면 법선벡터의 방향이 곡면으로 둘러싸인 영역의 바깥쪽을 가리킨다고 약속한다. 면적분을 구하기 위하여 곡면을 $r(u,v)$로 매개화할 때에는 $r_u \times r_v$가 곡면의 법선벡터의 방향과 일치하도록 매개화하여야 한다.

그러나 곡면을 $r(u,v)$로 매개화하였을 때, $r_u \times r_v$가 곡면의 법선벡터의 방향과 반대라고 처음부터 다시 매개화하여야 하는 것은 결코 아니다. 법선벡터의 방향의 차이는 단지 면적분의 부호를 바꿀 뿐이다. 따라서 $r_u \times r_v$의 방향이 문제와 반대이면 끝까지 계산한 다음 마지막에 부호만 바꾸면 된다.

조언 3 벡터장 $F$의 면적분을 $\iint_S F \cdot N\, dS$로 나타내기도 한다.

**예제 2.** 곡면 $S$가 평면 $z = 4$ 아래에 있는 포물면 $z = x^2 + y^2$일 때, 벡터장 $F(x,y,z) = (x,y,0)$에 대하여 $\iint_S F \cdot dS$를 구하라. 여기에서 $S$의 법선벡터의 $z$ 좌표는 0 이상이다.

풀이 $S$를

$$r(u,v) = (u, v, u^2 + v^2) \ (u^2 + v^2 \leqq 4)$$

으로 매개화하면

$$r_u = (1, 0, 2u), \qquad r_v = (0, 1, 2v), \qquad r_u \times r_v = (-2u, -2v, 1)$$

이고 $r_u \times r_v$ 의 $z$좌표가 0 이상이므로 법선벡터의 방향과 일치하며

$$F(r(u,v)) \cdot (r_u \times r_v) = (u,v,0) \cdot (-2u,-2v,1) = -2u^2 - 2v^2$$

$u,\, v$의 영역 $u^2 + v^2 \leqq 4$를 $D$라 하면 극좌표치환에 의하여

$$\begin{aligned}
\iint_S F \cdot dS &= \iint_D F(r(u,v)) \cdot (r_u \times r_v)\, dA = \iint_D (-2u^2 - 2v^2)\, dA \\
&= \int_0^{2\pi} \int_0^2 (-2r^2)\, r\, dr\, d\theta = \int_0^{2\pi} \left[ -\frac{1}{2} r^4 \right]_0^2 d\theta \\
&= \int_0^{2\pi} (-8)\, d\theta = \Big[ -8\theta \Big]_0^{2\pi} = -16\pi
\end{aligned}$$

## ♣ 확인 문제

면적분 $\iint_S F \cdot dS$를 구하라. 여기에서 곡면의 법선벡터의 $z$좌표는 0 이상이다.

1. $F(x,y,z) = (x,y,z)$
   $S$는 평면 $z = 0$ 위에 있는 포물면 $z = 4 - x^2 - y^2$

2. $F(x,y,z) = (y,-x,z)$
   $S$는 평면 $z = 3$ 아래에 있는 원뿔면 $z = \sqrt{x^2 + y^2}$

## 7.1 연습문제

선적분 $\int_C F \cdot ds$를 구하라.

1. $F(x,y) = (xy, 3y^2)$
   $C$는 $r(t) = (11t^4, t^3)$ $(0 \leqq t \leqq 1)$으로 매개화되는 곡선

2. $F(x,y,z) = (\sin x, \cos y, xz)$
   $C$는 $r(t) = (t^3, -t^2, t)$ $(0 \leqq t \leqq 1)$로 매개화되는 곡선

3. $F(x,y) = (e^{x-1}, xy)$
   $C$는 $r(t) = (t^2, t^3)$ $(0 \leqq t \leqq 1)$으로 매개화되는 곡선

4. $F(x,y) = (x, y+2)$
   $C$는 곡선 $r(t) = (t - \sin t, 1 - \cos t)$ $(0 \leqq t \leqq 2\pi)$로 매개화되는 곡선

5. $F(x,y,z) = (x - y^2, y - z^2, z - x^2)$
   $C$는 점 $(0,0,1)$, $(2,1,0)$을 잇는 선분

면적분 $\iint_S F \cdot dS$를 구하라.

6. $F(x,y,z) = (ze^{xy}, 3ze^{xy}, xy)$
   $S$는 $r(u,v) = (u+v, u-v, 1+2u+v)$ $(0 \leqq u \leqq 2,\ 0 \leqq v \leqq 1)$로 매개화되는 곡면

7. $F(x,y,z) = (xy, yz, zx)$
   $S$는 포물면 $z = 4 - x^2 - y^2$에서 $0 \leqq x \leqq 1$, $0 \leqq y \leqq 1$인 부분이고 법선벡터는 위쪽 방향

8. $F(x,y,z) = (x, -z, y)$
   $S$는 곡면 $x^2 + y^2 + z^2 = 4$, $x \geqq 0$, $y \geqq 0$, $z \geqq 0$이고 법선벡터는 원점 방향

9. $F(x,y,z) = (0, y, -z)$
   $S$는 포물면 $y = x^2 + z^2$, $0 \leqq y \leqq 1$과 원판 $x^2 + z^2 \leqq 1$, $y = 1$로 이루어진 곡면

10. $F(x,y,z) = (x^2, y^2, z^2)$
    $S$는 영역 $0 \leqq z \leqq \sqrt{1-y^2}$, $0 \leqq x \leqq 2$의 경계

## 7.2. 회전과 발산

벡터장 $F = (P, Q, R)$에 대하여 $\operatorname{curl} F$와 $\operatorname{div} F$를 각각 $F$의 **회전**과 **발산**이라 한다. 회전과 발산은 스토크스의 정리와 발산정리에 쓰인다.

**회전과 발산**

벡터장 $F = (P, Q, R)$에 대하여

$$\begin{aligned} \operatorname{curl} F &= (R_y - Q_z, P_z - R_x, Q_x - P_y) \\ \operatorname{div} F &= P_x + Q_y + R_z \end{aligned}$$

조언 $\operatorname{curl} F$의 공식은 $\left(\frac{\partial}{\partial x}, \frac{\partial}{\partial y}, \frac{\partial}{\partial z}\right)$와 $(P, Q, R)$의 '외적'으로 기억하면 좋다. 여기에서 $\frac{\partial}{\partial x}, \frac{\partial}{\partial y}, \frac{\partial}{\partial z}$와의 곱은 각각 $x$, $y$, $z$로의 편미분으로 이해한다.

**예제 1.** 벡터장 $F(x, y, z) = (xz, xyz, -y^2)$에 대하여 $\operatorname{curl} F$와 $\operatorname{div} F$를 구하라.

풀이 $P = xz$, $Q = xyz$, $R = -y^2$이므로

$$\begin{matrix} \frac{\partial}{\partial x} & \frac{\partial}{\partial y} & \frac{\partial}{\partial z} \\ xz & xyz & -y^2 \end{matrix}, \quad \begin{matrix} \frac{\partial}{\partial x} & \frac{\partial}{\partial y} & \frac{\partial}{\partial z} \\ xz & xyz & -y^2 \end{matrix}, \quad \begin{matrix} \frac{\partial}{\partial x} & \frac{\partial}{\partial y} & \frac{\partial}{\partial z} \\ xz & xyz & -y^2 \end{matrix}$$

에서 색칠한 부분에 $|\quad|$를 취하되, 둘째 성분에는 $-1$을 곱하면

$$\begin{aligned} \operatorname{curl} F &= ((-y^2)_y - (xyz)_z, -((-y^2)_x - (xz)_z), (xyz)_z - (xz)_y) = (-2y - xy, x, yz) \\ \operatorname{div} F &= (xz)_x + (xyz)_y + (-y^2)_z = z + xz + 0 = z + xz \end{aligned}$$

### ♣ 확인 문제

다음 벡터장의 회전과 발산을 구하라.

1. $F(x, y, z) = (x^2 y, 3x - yz, z^3)$
2. $F(x, y, z) = (x^3 - y, y^5, e^z)$

## 7.2 연습문제

다음 벡터장의 회전과 발산을 구하라.

1. $F(x, y, z) = (x^2 - y^2, 2xy, 0)$
2. $F(x, y, z) = (xy, yz, x^2)$
3. $F(x, y, z) = (2xz, 0, -3y)$
4. $F(x, y, z) = (x^2, -3xy, 0)$
5. $F(x, y, z) = (xyz, 0, -x^2 y)$
6. $F(x, y, z) = (x^2 + y^2 + z^2)(3, 4, 5)$
7. $F(x, y, z) = \left(\frac{x}{y}, \frac{y}{z}, \frac{z}{x}\right)$
8. $F(x, y, z) = \frac{1}{\sqrt{x^2 + y^2 + z^2}}(x, y, z)$
9. $F(x, y, z) = (xye^z, 0, yze^x)$
10. $F(x, y, z) = (x^2, y - z, xe^{xy})$

## 7.3. 선적분의 계산

지난 7.1절에서 벡터장의 선적분을 '정직하게' 구하는 방법을 살펴보았다. 그러나 절대다수의 문제는 선적분을 계산이 쉬운 다른 적분으로 바꾸어 계산하는 것이다. 선적분을 다른 적분으로 바꾸는 방법은 세 가지가 있는데

선적분의 기본정리,  그린의 정리,  스토크스의 정리

가 바로 그것이다. 선적분 계산의 성패는 이들을 얼마나 적재적소에 활용할 수 있는가에 달려 있다고 말해도 지나친 말이 아니다.

**선적분의 계산**

**$C$가 폐곡선이 아닐 때** $\operatorname{grad} f = F$인 함수 $f$를 구해

$$\int_C F \cdot ds = f(Q) - f(P) \qquad \text{(선적분의 기본정리)}$$

로 계산한다. 여기에서 $P, Q$는 각각 곡선 $C$의 시작점과 끝점이다.

**$C$가 평면의 폐곡선일 때**

$$\int_C F \cdot ds = \iint_D (Q_x - P_y)\, dA \qquad \text{(그린의 정리)}$$

로 계산한다. 여기에서 $F = (P, Q)$이고 $D$는 곡선 $C$로 둘러싸인 영역이다.

**$C$가 공간의 폐곡선일 때**

$$\int_C F \cdot ds = \iint_S \operatorname{curl} F \cdot dS \qquad \text{(스토크스의 정리)}$$

로 계산한다. 여기에서 $S$는 곡선 $C$를 경계로 하는 한 곡면이다.

조언 1  그린의 정리에서 좌변의 $C$의 진행 방향은 반시계방향이라고 약속한다. 만약 $C$의 진행 방향이 시계방향이라면 우변에 $-$가 붙는다.

조언 2  스토크스의 정리에서 우변의 $S$의 법선벡터의 방향은 $S$가 왼쪽에 오도록 $C$의 진행 방향을 따라 걸을 때 머리가 가리키는 방향이라고 약속한다.

**예제 1.** 곡선 $C$가 $r(t) = (e^t \sin t, e^t \cos t)$ $(0 \leqq t \leqq \pi)$로 매개화될 때, 벡터장 $F(x,y) = (3+2xy, x^2-3y^2)$에 대하여 $\int_C F \cdot ds$를 구하라.

풀이 $C$의 시작점과 끝점이 각각 $(0,1)$과 $(0,-e^\pi)$으로 달라 폐곡선이 아니므로 선적분의 기본정리를 쓴다. $\operatorname{grad} f = F$인 함수 $f$는

$$f_x = 3 + 2xy, \qquad f_y = x^2 - 3y^2$$

를 만족하므로 $f_x = 3+2xy$의 양변을 $x$로 적분하면

$$f(x,y) = \int f_x \, dx = \int (3+2xy)\, dx = 3x + x^2 y + g(y)$$

다시 $y$로 편미분하면

$$f_y = x^2 + g'(y)$$

으로부터 $g'(y) = -3y^2$이므로 $g(y) = -y^3$이다(적분상수는 무시한다). 따라서

$$f(x,y) = 3x + x^2 y - y^3$$

선적분의 기본정리에 의하여

$$\int_C F \cdot ds = f(0,-e^\pi) - f(0,1) = e^{3\pi} - (-1) = e^{3\pi} + 1$$

## ♣ 확인 문제

선적분 $\int_C F \cdot ds$를 구하라.

1. $F(x,y) = (2xy, x^2 - 1)$
   $C$는 $(1,0)$에서 $(3,1)$까지의 선분

2. $F(x,y) = (ye^{xy}, xe^{xy} - 2y)$
   $C$는 $(1,0)$에서 $(0,4)$까지의 선분

3. $F(x,y) = (x^2+1, (y^2-1)^2)$
   $C$는 $(-4,0)$에서 $(4,0)$까지의 위쪽 반원

**예제 2.** 곡선 $C$가 원 $x^2+y^2=9$일 때, 벡터장 $F(x,y)=(3y-e^{\sin x}, 7x+\sqrt{y^4+1})$에 대하여 $\int_C F\cdot ds$를 구하라.

풀이 $C$가 평면의 폐곡선이므로 그린의 정리를 쓴다.

$$P=3y-e^{\sin x}, \qquad Q=7x+\sqrt{y^4+1}, \qquad Q_x-P_y=7-3=4$$

이므로 원판 $x^2+y^2 \leqq 9$를 $D$라 하면 그린의 정리와 극좌표치환에 의하여

$$\begin{aligned}\int_C F\cdot ds &= \iint_D (Q_x-P_y)\,dA=\iint_D 4\,dA \\ &= \int_0^{2\pi}\int_0^3 4r\,dr\,d\theta=\int_0^{2\pi}\Big[2r^2\Big]_0^3\,d\theta \\ &= \int_0^{2\pi} 18\,d\theta=\Big[18\theta\Big]_0^{2\pi}=36\pi\end{aligned}$$

## ♣ 확인 문제

선적분 $\int_C F\cdot ds$를 구하라.

1. $F(x,y)=(x^2-y, y^2)$
   $C$는 원 $x^2+y^2=1$

2. $F(x,y)=(x^2,-x^3)$
   $C$는 꼭지점이 $(0,0)$, $(0,2)$, $(2,2)$, $(2,0)$인 정사각형

3. $F(x,y)=(xe^{2x},-3x^2y)$
   $C$는 꼭지점이 $(0,0)$, $(3,0)$, $(3,2)$, $(0,2)$인 직사각형

4. $F(x,y)=(\tan x-y^3, x^3-\sin y)$
   $C$는 원 $x^2+y^2=2$

**예제 3.** 곡선 $C$가 원기둥 $x^2+y^2=1$과 평면 $y+z=2$의 교선일 때, 벡터장 $F(x,y,z)=(-y^2,x,z^2)$에 대하여 $\int_C F\cdot ds$를 구하라. 여기에서 $C$의 진행 방향은 $xy$평면을 내려다보았을 때 반시계방향이다.

풀이 $C$가 공간의 폐곡선이므로 스토크스의 정리를 쓴다.

$$\operatorname{curl} F=(0,0,1+2y)$$

$C$를 경계로 하는 한 곡면 $S$는 비스듬하게 자른 원기둥의 단면이고 $C$의 진행 방향이 $xy$평면을 내려다보았을 때 반시계방향이므로 $S$는 법선벡터의 $z$좌표가 0 이상이 되도록 매개화하여야 한다. $S$를

$$r(u,v)=(u,v,2-v)\ (u^2+v^2\leqq 1)$$

로 매개화하면 $r_u=(1,0,0)$, $r_v=(0,1,-1)$, $r_u\times r_v=(0,1,1)$이므로 $r_u\times r_v$의 $z$좌표가 0 이상이고

$$\operatorname{curl} F(r(u,v))\cdot(r_u\times r_v)=(0,0,1+2v)\cdot(0,1,1)=1+2v$$

$u$, $v$의 영역 $u^2+v^2\leqq 1$을 $D$라 하면 스토크스의 정리와 극좌표치환에 의하여

$$\begin{aligned}\int_C F\cdot ds &= \iint_S \operatorname{curl} F\cdot dS=\iint_D(1+2v)\,dA=\int_0^{2\pi}\int_0^1(1+2r\sin\theta)\,r\,dr\,d\theta\\ &= \int_0^{2\pi}\left[\frac{1}{2}r^2+\frac{2}{3}r^3\sin\theta\right]_0^1 d\theta=\int_0^{2\pi}\left(\frac{1}{2}+\frac{2}{3}\sin\theta\right)d\theta=\left[\frac{1}{2}\theta-\frac{2}{3}\cos\theta\right]_0^{2\pi}=\pi\end{aligned}$$

## ♣ 확인 문제

선적분 $\int_C F\cdot ds$를 구하라.

1. $F(x,y)=(x^2z,3\cos y,4z^3)$
   $C$는 포물면 $y=4-x^2-z^2$과 평면 $y=0$의 교선, 진행 방향은 $xz$평면을 내려다보았을 때 반시계방향

2. $F(x,y)=(x^2e^x-y,\sqrt{y^2+1},z^3)$
   $C$는 포물면 $z=4-x^2-y^2$과 $xy$평면의 교선, 진행 방향은 $xy$평면을 내려다보았을 때 반시계방향

벡터장의 분모가 0이 되는 등 정의되지 않는 점이 있을 때에는 극히 조심하여야 한다. 이러한 벡터장을 평면의 폐곡선에서 선적분할 때, 폐곡선으로 둘러싸인 영역에 벡터장이 정의되지 않는 점이 있으면 그린의 정리를 쓸 수 없고, 특수한 방법을 써야 한다.

**정의되지 않는 점이 있는 평면의 벡터장의 선적분**

**1단계** 벡터장 $F = (P, Q)$에 대하여 $Q_x = P_y$를 확인한다.

**2단계** 벡터장 $F$가 정의되지 않는 점을 둘러싸는 계산이 쉬운 다른 곡선으로 바꾸어 선적분을 계산한다.

조언 계산이 쉬운 다른 곡선은 보통 벡터장의 분모가 상수가 되는 곡선으로 택한다. 예를 들어 벡터장의 분모가 $4x^2 + y^2$이면 타원 $4x^2 + y^2 = 1$로 택하는 것이다.

**예제 4.** 곡선 $C$가 꼭지점이 $(1,1)$, $(-1,1)$, $(-1,-1)$, $(1,-1)$인 정사각형일 때, 벡터장 $F(x,y) = \left(-\dfrac{y}{x^2+y^2}, \dfrac{x}{x^2+y^2}\right)$에 대하여 $\displaystyle\int_C F \cdot ds$를 구하라.

1단계 $P(x,y) = -\dfrac{y}{x^2+y^2}$, $Q(x,y) = \dfrac{x}{x^2+y^2}$ 이므로

$$Q_x = \frac{(x^2+y^2) - x \cdot 2x}{(x^2+y^2)^2} = \frac{y^2-x^2}{(x^2+y^2)^2}, \qquad P_y = -\frac{(x^2+y^2) - y \cdot 2y}{(x^2+y^2)^2} = \frac{y^2-x^2}{(x^2+y^2)^2}$$

에서 $Q_x = P_y$

2단계 $C$를 원 $x^2 + y^2 = 1$로 바꾸어 선적분을 계산하면 원 $x^2 + y^2 = 1$은 $r(t) = (\cos t, \sin t)$ $(0 \leqq t \leqq 2\pi)$로 매개화되므로

$$F(r(t)) \cdot r'(t) = (-\sin t, \cos t) \cdot (-\sin t, \cos t) = 1, \qquad \int_C F \cdot ds = \int_0^{2\pi} 1\, dt = \Big[t\Big]_0^{2\pi} = 2\pi$$

## ♣ 확인 문제

선적분 $\displaystyle\int_C F \cdot ds$를 구하라.

1. $F(x,y) = \left(\dfrac{x-y}{x^2+y^2}, \dfrac{x+y}{x^2+y^2}\right)$
   $C$는 정사각형 $|x| + |y| = 1$

2. $F(x,y) = \left(-\dfrac{y}{4x^2+y^2}, \dfrac{x}{4x^2+y^2}\right)$
   $C$는 원 $x^2 + (y-1)^2 = 4$

## 7.3 연습문제

선적분 $\int_C F \cdot ds$를 구하라. 9~11번에서 $C$의 진행 방향은 $xy$평면을 내려다보았을 때 반시계방향이다.

1. $F(x,y) = (xy^2, x^2y)$
   $C$는 $r(t) = \left(t + \sin\frac{\pi t}{2}, t + \cos\frac{\pi t}{2}\right)$ $(0 \leqq t \leqq 1)$로 매개화된 곡선
2. $F(x,y,z) = (yz, xz, xy + 2z)$
   $C$는 $(1,0,-2)$에서 $(4,6,3)$까지의 선분
3. $F(x,y,z) = (yze^{xz}, e^{xz}, xye^{xz})$
   $C$는 $r(t) = (t^2+1, t^2-1, t^2-2t)$ $(0 \leqq t \leqq 2)$로 매개화된 곡선
4. $F(x,y) = (x-y, x+y)$
   $C$는 중심이 원점이고 반지름의 길이가 2인 원
5. $F(x,y) = (xy, x^2y^3)$
   $C$는 꼭지점이 $(0,0)$, $(1,0)$, $(1,2)$인 삼각형
6. $F(x,y) = (y + e^{\sqrt{x}}, 2x + \cos y^2)$
   $C$는 포물선 $y = x^2$과 $x = y^2$으로 둘러싸인 영역의 경계
7. $F(x,y) = (y^3, -x^3)$
   $C$는 원 $x^2 + y^2 = 4$
8. $F(x,y) = (y - \cos y, x \sin y)$
   $C$는 원 $(x-3)^2 + (y+4)^2 = 4$
9. $F(x,y,z) = (x + y^2, y + z^2, z + x^2)$
   $C$는 꼭지점이 $(1,0,0)$, $(0,1,0)$, $(0,0,1)$인 삼각형
10. $F(x,y,z) = (yz, 2xz, e^{xy})$
    $C$는 원 $x^2 + y^2 = 16$, $z = 5$
11. $F(x,y,z) = (x^2z, xy^2, z^2)$
    $C$는 평면 $x + y + z = 1$과 원기둥 $x^2 + y^2 = 9$의 교선
12. $F(x,y) = \left(\frac{2xy}{(x^2+y^2)^2}, \frac{y^2-x^2}{(x^2+y^2)^2}\right)$
    $C$는 $r(t) = (\cos^3 t, \sin^3 t)$ $(0 \leqq t \leqq 2\pi)$로 매개화된 곡선

## 7.4. 면적분의 계산

지난 7.2절에서 벡터장의 면적분을 '정직하게' 구하는 방법을 살펴보았다. 그러나 절대다수의 문제는 면적분을 계산이 쉬운 다른 적분으로 바꾸어 계산하는 것이다. 면적분을 다른 적분으로 바꾸는 방법은 두 가지가 있는데

스토크스의 정리, 발산정리

가 바로 그것이다. 면적분 계산의 성패는 이들을 얼마나 적재적소에 활용할 수 있는가에 달려 있다고 말해도 지나친 말이 아니다.

**면적분의 계산**

***S*가 폐곡면이 아니고 curl *F*의 면적분을 구할 때**

$$\iint_S \operatorname{curl} F \cdot dS = \int_C F \cdot ds \qquad \text{(스토크스의 정리)}$$

로 계산한다. 여기에서 $C$는 곡면 $S$의 경계이다.

***S*가 폐곡면일 때**

$$\iint_S F \cdot dS = \iiint_R \operatorname{div} F \, dV \qquad \text{(발산정리)}$$

로 계산한다. 여기에서 $R$은 폐곡면 $S$로 둘러싸인 영역이다.

조언 1 $S$가 폐곡면이 아니라고 무조건 스토크스의 정리를 쓸 수 있는 것은 아니다. 스토크스의 정리는 curl $F$의 면적분을 $F$의 선적분으로 바꾸어 주지만, curl $F$ 꼴이 아닌 벡터장에 대해서는 아무런 역할도 하지 못한다. 바꾸어 말하면 폐곡면이 아닌 곡면에서 curl $F$ 꼴이 아닌 벡터장의 면적분은 울며 겨자 먹기로 정의대로 계산하는 수밖에 없다.

조언 2 스토크스의 정리에서 좌변의 $C$의 진행 방향은 머리를 법선벡터 방향으로 두고 $S$가 왼쪽에 오도록 걷는 방향이라고 약속한다.

조언 3 발산정리에서 우변의 $S$의 법선벡터의 방향은 $S$로 둘러싸인 영역의 바깥쪽이라고 약속한다.

**예제 1.** 곡면 $S$가 평면 $z = 0$ 위에 있고 원기둥 $x^2 + y^2 = 1$로 둘러싸인 구면 $x^2 + y^2 + z^2 = 4$일 때, 벡터장 $F(x, y, z) = (xz, yz, xy)$에 대하여 $\iint_S \operatorname{curl} F \cdot dS$를 구하라. 여기에서 $S$의 법선벡터의 $z$좌표는 0 이상이다.

풀이 $S$가 폐곡면이 아니고 $\operatorname{curl} F$의 면적분을 구하므로 스토크스의 정리를 쓴다. $S$의 경계 $C$는

$$x^2 + y^2 + z^2 = 4, \qquad x^2 + y^2 = 1$$

을 만족하므로 $z^2 = 3$이고 $z \geqq 0$에서 $z = \sqrt{3}$, 즉 평면 $z = \sqrt{3}$ 위에 있는 원이다. $S$의 법선벡터의 $z$좌표가 0 이상이므로 $C$는 $xy$평면을 내려다보았을 때 진행 방향이 반시계방향이 되도록 매개화하여야 한다. $C$를

$$r(t) = (\cos t, \sin t, \sqrt{3}) \ (0 \leqq t \leqq 2\pi)$$

으로 매개화하면 $xy$평면을 내려다보았을 때 진행 방향이 반시계방향이고

$$F(r(t)) \cdot r'(t) = (\sqrt{3}\cos t, \sqrt{3}\sin t, \cos t \sin t) \cdot (-\sin t, \cos t, 0) = 0$$

스토크스의 정리에 의하여

$$\iint_S \operatorname{curl} F \cdot dS = \int_C F \cdot ds = \int_0^{2\pi} 0\, dt = 0$$

## ♣ 확인 문제

면적분 $\iint_S \operatorname{curl} F \cdot dS$를 구하라.

1. $F(x, y, z) = (zx^2, ze^{xy^2} - x, x \ln y^2)$
   $S$는 포물면 $z = 1 - x^2 - y^2$에서 $z \geqq 0$인 부분이고 법선벡터의 방향은 위쪽

2. $F(x, y, z) = (x^2 + y^2, ze^{x^2+y^2}, e^{x^2+z^2})$
   $S$는 원뿔면 $z = \sqrt{x^2 + y^2}$에서 구면 $x^2 + y^2 + z^2 = 2$의 아랫부분이고 법선벡터의 방향은 아래쪽

**예제 2.** 곡면 $S$가 포물면기둥 $z = 1 - x^2$과 평면 $y = 0$, $z = 0$, $y + z = 2$로 둘러싸인 영역의 경계일 때, 벡터장 $F(x, y, z) = (xy, y^2 + e^{xz^2}, \sin xy)$에 대하여 $\iint_S F \cdot dS$를 구하라.

풀이 $S$가 폐곡면이므로 발산정리를 쓴다.

$$\operatorname{div} F = y + 2y = 3y$$

이므로 $S$로 둘러싸인 영역을 $R$이라 하면 발산정리에 의하여

$$\begin{aligned}
\iint_S F \cdot dS &= \iiint_R \operatorname{div} F \, dV = \iiint_R 3y \, dV \\
&= \int_{-1}^{1} \int_0^{1-x^2} \int_0^{2-z} 3y \, dy \, dz \, dx = \int_{-1}^{1} \int_0^{1-x^2} \left[\frac{3}{2} y^2\right]_0^{2-z} dz \, dx \\
&= \int_{-1}^{1} \int_0^{1-x^2} \frac{3}{2}(2-z)^2 \, dz \, dx = \int_{-1}^{1} \left[-\frac{1}{2}(2-z)^3\right]_0^{1-x^2} dx \\
&= \int_{-1}^{1} \frac{7 - 3x^2 - 3x^4 - x^6}{2} \, dx = \left[\frac{7}{2}x - \frac{1}{2}x^3 - \frac{3}{10}x^5 - \frac{1}{14}x^7\right]_{-1}^{1} = \frac{184}{35}
\end{aligned}$$

## ♣ 확인 문제

면적분 $\iint_S F \cdot dS$를 구하라.

1. $F(x, y, z) = (2x - y^2, 4xz - 2y, xy^3)$
   $S$는 평면 $x + y + 2z = 2$, $x = 0$, $y = 0$, $z = 0$으로 둘러싸인 사면체의 경계

2. $F(x, y, z) = (y^3 - 2x, e^{xz}, 4z)$
   $S$는 직육면체 $0 \leqq x \leqq 2$, $1 \leqq y \leqq 2$, $-1 \leqq z \leqq 2$의 경계

3. $F(x, y, z) = (x^3, y^3 - z, xy^2)$
   $S$는 곡면 $z = x^2 + y^2$과 평면 $z = 4$로 둘러싸인 영역의 경계

4. $F(x, y, z) = (y^2 z, 2y - e^z, \sin x)$
   $S$는 원기둥 $x^2 + y^2 = 4$와 평면 $z = 1$, $z = 8 - y$로 둘러싸인 영역의 경계

## 7.4 연습문제

면적분 $\iint_S \operatorname{curl} F \cdot dS$ 를 구하라.

1. $F(x,y,z) = (x^2z^2, y^2z^2, xyz)$
   $S$ 는 원기둥 $x^2+y^2=4$ 로 둘러싸인 포물면 $z=x^2+y^2$ 이고 법선벡터의 방향은 위쪽

2. $F(x,y,z) = (xyz, xy, x^2yz)$
   $S$ 는 꼭지점이 $(\pm1, \pm1, \pm1)$ 인 정육면체에서 바닥면을 제외한 곡면이고 법선벡터의 $z$ 좌표는 0 이상

3. $F(x,y,z) = (xe^x - xy, 3y^2, \sin z - xy)$
   $S$ 는 원기둥 $x^2+y^2=2$ 로 둘러싸인 원뿔면 $z=\sqrt{x^2+y^2}$ 이고 법선벡터의 $z$ 좌표는 0 이하

4. $F(x,y,z) = (2y - x\cos x, \sqrt{y^2+1}, e^{-z^2})$
   $S$ 는 쌍곡면 $x^2+y^2-z^2=4$, $0 \leqq z \leqq 2$ 와 평면 $z=0$ 으로 이루어진 곡면이고 법선벡터의 $z$ 좌표는 0 이하

면적분 $\iint_S F \cdot dS$ 를 구하라.

5. $F(x,y,z) = (xye^z, xy^2z^3, -ye^z)$
   $S$ 는 직육면체 $0 \leqq x \leqq 3$, $0 \leqq y \leqq 2$, $0 \leqq z \leqq 1$ 의 경계

6. $F(x,y,z) = (3xy^2, xe^z, z^3)$
   $S$ 는 원기둥 $y^2+z^2=1$ 과 평면 $x=-1$, $x=2$ 로 둘러싸인 영역의 경계

7. $F(x,y,z) = (x^2\sin y, x\cos y, -xz\sin y)$
   $S$ 는 곡면 $x^8+y^8+z^8=8$

8. $F(x,y,z) = (\cos z + xy^2, xe^{-z}, \sin y + x^2z)$
   $S$ 는 포물면 $z=x^2+y^2$ 과 평면 $z=4$ 로 둘러싸인 영역의 경계

9. $F(x,y,z) = \sqrt{x^2+y^2+z^2}(x,y,z)$
   $S$ 는 반구면 $z=\sqrt{1-x^2-y^2}$ 과 원판 $x^2+y^2 \leqq 1$, $z=0$ 으로 이루어진 곡면

# 연습문제 정답

## 1.1. 벡터의 연산

확인 문제(2쪽)

1. $(-4, 6)$
2. $(7, 0)$
3. $(0, -5, -2)$
4. $(-7, -3, 4)$

확인 문제(3쪽)

1. $-2$
2. $10$
3. $-14$
4. $1$
5. $\sqrt{290}$
6. $\sqrt{290}$
7. $\sqrt{186}$
8. $\sqrt{474}$

확인 문제(4쪽)

1. $\dfrac{1}{\sqrt{26}}$
2. $-\dfrac{8}{3\sqrt{26}}$
3. $\left(\dfrac{6}{5}, \dfrac{8}{5}\right)$
4. $\left(\dfrac{2}{3}, \dfrac{4}{3}, \dfrac{4}{3}\right)$

연습문제(5쪽)

1. $(5, 2)$
2. $(3, 8, 1)$
3. $(1, -42)$, $10$
4. $(-4, 1, 9)$, $\sqrt{82}$
5. $14$
6. $19$
7. $32$
8. $\dfrac{1}{\sqrt{5}}$
9. $\dfrac{5}{\sqrt{1015}}$
10. $\dfrac{7}{\sqrt{130}}$

11. $\left(-\frac{20}{13}, \frac{48}{13}\right)$

12. $\left(\frac{27}{49}, \frac{54}{49}, -\frac{18}{49}\right)$

13. $\left(\frac{2}{21}, -\frac{1}{21}, \frac{4}{21}\right)$

## 1.2. 직선과 평면의 방정식

확인 문제(7쪽)

1. $\frac{x-1}{2} = \frac{y-2}{-1} = \frac{z+3}{4}$
2. $\frac{x-2}{2} = \frac{y-1}{-1} = \frac{z-3}{1}$
3. $2x - y + 5z = 9$
4. $x - 2y = 4$

확인 문제(8쪽)

1. $\frac{2}{3}$
2. $\frac{3}{\sqrt{6}}$

연습문제(9쪽)

1. $\frac{x-2}{3} = \frac{y-2.4}{2} = \frac{z-3.5}{-1}$
2. $\frac{x-1}{1} = \frac{y}{3} = \frac{z-6}{1}$
3. $\frac{x-2}{2} = \frac{y-1}{\frac{1}{2}} = \frac{z+3}{-4}$
4. $\frac{x+8}{11} = \frac{y-1}{-3}, \quad z = 4$
5. $\frac{x-1}{1} = \frac{y+1}{2} = \frac{z-1}{1}$
6. $\frac{x-1}{-1} = \frac{y+5}{2} = \frac{z-6}{-3}$
7. $-2x + y + 5z = 1$
8. $x + 4y + z = 4$
9. $5x - y - z = 7$
10. $6x + 6y + 6z = 11$
11. $90°$
12. $\arccos \frac{1}{3}$
13. 평행하다
14. $\frac{18}{7}$
15. $\frac{5}{2\sqrt{14}}$

## 1.3. 공간벡터의 외적

확인 문제(11쪽)

1. $(4, -3, -2)$
2. $(9, -4, 1)$
3. $6x + 8y + 9z = 40$
4. $2x - 7y - 3z = -5$

확인 문제(13쪽)

1. 5
2. $\frac{11\sqrt{3}}{2}$
3. 10

연습문제(14쪽)

1. $(16, 0, 48)$
2. $(15, -3, 3)$
3. $\left(\frac{1}{2}, -1, \frac{3}{2}\right)$
4. $(-7, 10, 8)$

5. $x+y+z=2$
6. $13x-17y-7z=42$
7. $33x+10y+4z=190$
8. $16$
9. $\frac{9\sqrt{5}}{2}$
10. $\frac{\sqrt{390}}{2}$
11. $82$
12. $16$

## 2.1. 극좌표계

확인 문제(18쪽)

1. $(1,-\sqrt{3})$, $(0,0)$
2. $\left(2\sqrt{2},\ \frac{7\pi}{4}\right)$, $\left(3,\ \frac{\pi}{2}\right)$
3. $\frac{\pi}{12}$
4. $\pi$
5. $\frac{11\sqrt{3}}{2}+\frac{14}{3}\pi$
6. $\sqrt{3}+\frac{5}{3}\pi$
7. $\frac{5}{4}\pi-2$

확인 문제(19쪽)

1. $16$
2. $\frac{16}{3}$

연습문제(20쪽)

1. $(-1,0)$
2. $(\sqrt{2},-\sqrt{2})$
3. $\left(2\sqrt{2},\ \frac{7\pi}{4}\right)$
4. $\left(2,\ \frac{2\pi}{3}\right)$
5. $\frac{\pi^5}{10240}$
6. $\frac{9}{2}$
7. $\pi^2$
8. $\frac{41}{4}\pi$
9. $\pi$
10. $11\pi$
11. $\frac{9}{2}\pi$
12. $\frac{3}{2}\pi$
13. $\frac{4}{3}\pi$
14. $\frac{\pi}{16}$
15. $2\pi$
16. $\frac{8}{3}((\pi^2+1)^{3/2}-1)$
17. $\frac{16}{3}$

## 2.2. 원기둥좌표계와 구면좌표계

확인 문제(21쪽)

1. $(-1, 1, 2)$
2. $\left(4, \frac{\pi}{6}, -1\right)$

확인 문제(22쪽)

1. $(0, 0, 4)$
2. $\left(2, \frac{\pi}{6}, 0\right)$

연습문제(23쪽)

1. $(2, 2\sqrt{3}, -2)$
2. $(0, -2, 1)$
3. $\left(\sqrt{2}, \frac{3\pi}{4}, 1\right)$
4. $\left(4, \frac{2\pi}{3}, 3\right)$
5. $\left(\frac{3}{2},\ \frac{3\sqrt{3}}{2},\ 3\sqrt{3}\right)$
6. $\left(0,\ \frac{3\sqrt{2}}{2},\ -\frac{3\sqrt{2}}{2}\right)$
7. $\left(2, \frac{3\pi}{2}, \frac{\pi}{2}\right)$
8. $\left(2, \frac{3\pi}{4}, \frac{3\pi}{4}\right)$
9. $z^2 = 1 + r\cos\theta - r^2$
10. $z = r^2 \cos 2\theta$
11. $\cos^2\phi = \sin^2\phi$
12. $\rho^2(\sin^2\phi\cos^2\theta + \cos^2\phi) = 9$

## 2.3. 매개화된 곡선

확인 문제(24쪽)

1. $x = 1 + t,\ y = t,\ z = t$
2. $x = 2 + \frac{t}{2},\ y = \ln 4 + \frac{t}{2},\ z = 1 + t$

확인 문제(25쪽)

1. $y = \pm(x + 1)$
2. $y = 3$
3. $y = -\pi x + \pi^2$

확인 문제(26쪽)

1. $6\pi$
2. $\frac{3}{8}\pi$
3. $\frac{4}{3}$
4. $\frac{256}{15}$

확인 문제(27쪽)

1. $4\pi$
2. $2\pi$
3. $\frac{\pi}{2}$
4. $e^8 - \frac{1}{e^8}$

확인 문제(28쪽)

1. $\frac{48}{5}\pi$
2. $(e^2 + 2e - 6)\pi$

## 확인 문제(29쪽)

1. $\dfrac{1}{(1+2t^2)^{3/2}}$
2. $\dfrac{2e^t\sqrt{1+e^{2t}}}{(1+2e^{2t})^{3/2}}$
3. $\dfrac{1}{26}$
4. $\dfrac{1}{2}$

## 확인 문제(30쪽)

1. $\dfrac{|2\tan x\sec^2 x|}{(1+\sec^4 x)^{3/2}}$
2. $\dfrac{e^x}{(1+e^{2x})^{3/2}}$
3. $\dfrac{|x|}{(1+x^2)^{3/2}}$

## 연습문제(31쪽)

1. $y=-x$
2. $y=\pi x+\pi^2$
3. $y=2x+1$
4. $y=\dfrac{1}{6}x$
5. $\pi ab$
6. $3-e$
7. $4\sqrt{2}-2$
8. $\dfrac{1}{2}(\sqrt{2}+\ln(1+\sqrt{2}))$
9. $(e^\pi-1)\sqrt{2}$
10. $\sqrt{2}$
11. $\dfrac{2}{1215}\pi(247\sqrt{13}+64)$
12. $\dfrac{6}{5}\pi a^2$
13. $\dfrac{24}{5}\pi(949\sqrt{26}+1)$
14. $x=3+t,\ y=2t,\ z=2+4t$
15. $x=1-t,\ y=t,\ z=1-t$
16. $x=t,\ y=1-t,\ z=2t$
17. $x=-\pi-t,\ y=\pi+t,\ z=-\pi t$
18. $10\sqrt{10}$
19. $e-\dfrac{1}{e}$
20. $\dfrac{1}{27}(13\sqrt{13}-8)$
21. $\dfrac{3}{10}$
22. $\dfrac{\sqrt{2}e^{2t}}{(e^{2t}+1)^2}$
23. $\dfrac{6t^2}{(9t^4+4t^2)^{3/2}}$
24. $\dfrac{4}{25}$
25. $\dfrac{1}{2\cosh^2 t}$
26. $\dfrac{6t^2}{(4t^2+9t^4)^{3/2}}$
27. $\dfrac{1}{\sqrt{2}e^t}$
28. $\dfrac{12x^2}{(1+16x^6)^{3/2}}$
29. $\dfrac{|\sin x|}{(1+\cos^2 x)^{3/2}}$
30. $\dfrac{e^x|x+2|}{(1+(xe^x+e^x)^2)^{3/2}}$

## 3.1. 극한과 연속

확인 문제(35쪽)

1. 존재하지 않음
2. 존재하지 않음
3. 존재하지 않음
4. 0
5. 2
6. 0

확인 문제(36쪽)

1. 불연속
2. 연속

연습문제(37쪽)

1. 존재하지 않음
2. 존재하지 않음
3. 0
4. 존재하지 않음
5. 2
6. 존재하지 않음
7. 불연속
8. 연속
9. 불연속
10. 연속

## 3.2. 편미분

확인 문제(38쪽)

1. $f_x = 3x^2 - 4y^2$
   $f_y = -8xy + 4y^3$
2. $f_x = 2x\sin xy + x^2 y\cos xy$
   $f_y = x^3\cos xy - 9y^2$
3. $f_x = \dfrac{4e^{x/y}}{y} - \dfrac{y}{x^2+y^2}$
   $f_y = -\dfrac{4xe^{x/y}}{y^2} + \dfrac{x}{x^2+y^2}$
4. $f_x = -\sin x^2$
   $f_y = \sin y^2$

확인 문제(39쪽)

1. $f_{xx} = 6x$
   $f_{xy} = -8y$
   $f_{yy} = -8x$
2. $f_{xx} = -\dfrac{4}{x^2} - 6y^3$
   $f_{xy} = -18xy^2 + \dfrac{5}{1+y^2}$
   $f_{xyy} = -36xy - \dfrac{10y}{(1+y^2)^2}$
3. $f_{xx} = \dfrac{xy^3}{(1-x^2y^2)^{3/2}}$
   $f_{yz} = yz\sin yz - \cos yz$
   $f_{xyz} = 0$
4. $f_{ww} = 2\arctan xy - z^2 e^{wz}$
   $f_{wxy} = \dfrac{2w(1-x^2y^2)}{(1+x^2y^2)^2}$
   $f_{wwxyz} = 0$

연습문제(40쪽)

1. $f_x = -3y$
   $f_y = 5y^4 - 3x$

2. $f_x = -\pi e^{-y} \sin \pi x$
$f_y = -e^{-y} \cos \pi x$

3. $f_x = 20(2x+3y)^9$
$f_y = 30(2x+3y)^9$

4. $f_x = \frac{1}{y}$
$f_y = -\frac{x}{y^2}$

5. $f_x = 10xy(x^2y - y^3)^4$
$f_y = 5(x^2 - 3y^2)(x^2y - y^3)^4$

6. $f_x = \cos x \cos y$
$f_y = -\sin x \sin y$

7. $f_x = \cos e^x$
$f_y = -\cos e^y$

8. $f_x = z - 10xy^3z^4$
$f_y = -15x^2y^2z^4$
$f_z = x - 20x^2y^3z^3$

9. $f_x = \frac{1}{x+2y+3z}$
$f_y = \frac{2}{x+2y+3z}$
$f_z = \frac{3}{x+2y+3z}$

10. $f_x = y \arcsin yz$
$f_y = x \arcsin yz + \frac{xyz}{\sqrt{1-y^2z^2}}$
$f_z = \frac{xy^2}{\sqrt{1-y^2z^2}}$

11. $f_x = 2xy \cos \frac{z}{w}$
$f_y = x^2 \cos \frac{z}{w}$
$f_z = -\frac{x^2y}{w} \sin \frac{z}{w}$
$f_w = \frac{x^2yz}{w^2} \sin \frac{z}{w}$

12. $f_{xx} = 6xy^5 + 24x^2y$
$f_{xy} = 15x^2y^4 + 8x^3$
$f_{yy} = 20x^3y^3$

13. $f_{xx} = \frac{y^2}{(x^2+y^2)^{3/2}}$
$f_{xy} = -\frac{xy}{(x^2+y^2)^{3/2}}$
$f_{yy} = \frac{x^2}{(x^2+y^2)^{3/2}}$

14. $f_{xx} = -\frac{2x}{(1+x^2)^2}$
$f_{xy} = 0$
$f_{yy} = -\frac{2y}{(1+y^2)^2}$

## 3.3. 연쇄법칙

확인 문제(42쪽)

1. $\frac{2txy}{\sqrt{t^2+1}} + (x^2 - \cos y)e^t$

2. $-8xy^3 \sin u$

확인 문제(43쪽)

1. $\frac{\partial z}{\partial r} = f_x \cos\theta + f_y \sin\theta$
$\frac{\partial z}{\partial \theta} = -rf_x \sin\theta + rf_y \cos\theta$

2. $\frac{\partial w}{\partial s} = f_x - f_y + 2sf_z$
$\frac{\partial^2 w}{\partial r \partial s} = f_{xx} + 2(r+s)f_{xz} - f_{yy} - 2(r-s)f_{yz} + 4rsf_{zz}$

확인 문제(44쪽)

1. $\frac{\partial z}{\partial x} = -\frac{2xz}{x^2+2z^2-y}$
$\frac{\partial z}{\partial y} = \frac{z}{x^2+2z^2-y}$

2. $\frac{\partial z}{\partial x} = \frac{3yze^{xyz} - 4z^2 + \cos y}{8xz - 3xye^{xyz}}$
$\frac{\partial z}{\partial y} = \frac{3xze^{xyz} - x\sin y}{8xz - 3xye^{xyz}}$

3. $\dfrac{\partial z}{\partial y} = -\dfrac{yz+\sin(x+y+z)}{xy+\sin(x+y+z)}$

$\dfrac{\partial z}{\partial y} = -\dfrac{xz+\sin(x+y+z)}{xy+\sin(x+y+z)}$

연습문제(45쪽)

1. $(2x+y)\cos t + (2y+x)e^t$
2. $\dfrac{x-ty\sin t}{t\sqrt{1+x^2+y^2}}$
3. $\left(2t - \dfrac{x}{z} - \dfrac{2xy}{z^2}\right)e^{y/z}$
4. $\dfrac{\partial z}{\partial s} = 2xy^3\cos t + 3x^2y^2\sin t$

   $\dfrac{\partial z}{\partial t} = -2sxy^3\sin t + 3sx^2y^2\cos t$
5. $\dfrac{\partial z}{\partial s} = t^2\cos\theta\cos\phi - 2st\sin\theta\sin\phi$

   $\dfrac{\partial z}{\partial t} = 2st\cos\theta\cos\phi - s^2\sin\theta\sin\phi$
6. $\dfrac{\partial z}{\partial s} = \left(t\cos\theta - \dfrac{s}{\sqrt{s^2+t^2}}\sin\theta\right)e^r$

   $\dfrac{\partial z}{\partial t} = \left(s\cos\theta - \dfrac{t}{\sqrt{s^2+t^2}}\sin\theta\right)e^r$
7. 85, 178, 54
8. $2\pi$, $-2\pi$
9. 62
10. 7, 2
11. $\dfrac{2x+y\sin x}{\cos x - 2y}$
12. $\dfrac{1+x^4y^2+y^2+x^4y^4-2xy}{x^2-2xy-2x^5y^3}$
13. $\dfrac{\partial z}{\partial x} = -\dfrac{x}{3z}$, $\dfrac{\partial z}{\partial y} = -\dfrac{2y}{3z}$
14. $\dfrac{\partial z}{\partial x} = \dfrac{yz}{e^z-xy}$, $\dfrac{\partial z}{\partial y} = \dfrac{xz}{e^z-xy}$

## 4.1. 접평면과 선형근사

확인 문제(48쪽)

1. $z = 4x+2y-6$
2. $z = -x$
3. $z = -\dfrac{3}{5}x + \dfrac{4}{5}y$

확인 문제(49쪽)

1. $2x+3y-z=-1$
2. $x-2y-z=-6$

연습문제(50쪽)

1. $z=-7x-6y+5$
2. $z=\dfrac{1}{2}x+\dfrac{1}{2}y$
3. $z=-x-y$
4. $z=6x+4y-23$
5. $z=\dfrac{1}{9}x-\dfrac{2}{9}y+\dfrac{2}{3}$
6. $z=1-\pi y$
7. 6.3
8. $\dfrac{2447}{350}$
9. $x+y+z=11$
10. $2x+3y+12z=24$
11. $x+y+z=1$

## 4.2. 방향미분

확인 문제(51쪽)

1. $2+6\sqrt{3}$
2. $\dfrac{17}{5\sqrt{13}}$

3. $0$

4. $-\dfrac{3}{\sqrt{29}}$

확인 문제(52쪽)

1. $\pm(4,-3)$, $\pm 5$
2. $\pm\left(\dfrac{3}{5},-\dfrac{4}{5}\right)$, $\pm 1$
3. $\pm(16,4,24)$, $\pm\sqrt{848}$

연습문제(53쪽)

1. $2+\dfrac{\sqrt{3}}{2}$
2. $-\dfrac{3}{2}+\sqrt{3}$
3. $-\dfrac{22}{3}$
4. $\dfrac{4-3\sqrt{3}}{10}$
5. $-\dfrac{8}{\sqrt{10}}$
6. $\dfrac{4}{\sqrt{30}}$
7. $\dfrac{23}{42}$
8. $\dfrac{2}{5}$
9. $(1,8)$, $\sqrt{65}$
10. $(0,1)$, $1$
11. $(3,6,-2)$, $1$
12. $(-12,92)$
13. 직선 $y=x+1$ 위의 모든 점
14. $\dfrac{32}{\sqrt{3}}$, $(38,6,12)$, $2\sqrt{406}$

# 4.3. 극대와 극소

확인 문제(55쪽)

1. 안장점 $(0,0)$
2. 안장점 $(0,0)$, 극소점 $(1,1)$
3. 극소점 $(0,1)$, 안장점 $(2,-1)$, $(-2,-1)$
4. 극대점 $(0,0)$
5. 극소점 $(1,1)$

연습문제(56쪽)

1. 극대점 $\left(-1,\frac{1}{2}\right)$
2. 안장점 $(1,1)$, $(-1,-1)$
3. 극대점 $(0,0)$, 극소점 $(0,4)$, 안장점 $(2,2)$, $(-2,2)$
4. 극소점 $(2,1)$, 안장점 $(0,0)$
5. 임계점 없음
6. 극소점 $(0,0)$, 안장점 $(1,0)$, $(-1,0)$
7. 극소점 $(0,1)$, $(\pi,-1)$, $(2\pi,1)$, 안장점 $\left(\frac{\pi}{2},0\right)$, $\left(\frac{3}{2}\pi,0\right)$

# 4.4. 라그랑주 승수법

확인 문제(58쪽)

1. $16$, $-16$
2. $2e$, $0$
3. $\sqrt{18}$, $1$

확인 문제(60쪽)

1. $8, -8$
2. $2^{1/4}, -2$

연습문제(61쪽)

1. $2$
2. $1, -4$
3. $9, -9$
4. $\frac{2}{\sqrt{3}}, -\frac{2}{\sqrt{3}}$
5. $\sqrt{3}, 1$
6. $2, -2$
7. $9+12\sqrt{2}, -8$
8. $e^{1/4}, e^{-1/4}$
9. $2, -2$
10. $\sqrt{3}, 0$
11. $\left(\frac{2}{3}, -\frac{4}{3}, -\frac{5}{3}\right)$
12. $(2, 1, \sqrt{5}), (2, 1, -\sqrt{5})$
13. $\frac{10^6}{3^3}$
14. $\frac{8r^3}{3\sqrt{3}}$
15. $\frac{4}{3}$
16. $\frac{c^3}{12^3}$
17. $4800$
18. $\frac{L^3}{3\sqrt{3}}$

# 5.1. 다중적분

확인 문제(65쪽)

1. $\frac{88}{105}$
2. $\frac{4}{3}$

확인 문제(66쪽)

1. $e^4 - 1$
2. $e - 1$

확인 문제(68쪽)

1. $\frac{4}{15}$
2. $64$

연습문제(69쪽)

1. $\frac{4}{3}$
2. $\pi$
3. $\frac{1}{3}$
4. $\frac{9}{4}$
5. $\frac{1}{2}(1-\cos 1)$
6. $\frac{11}{3}$
7. $0$
8. $\frac{1}{6}(e^9 - 1)$
9. $\frac{1}{3}\ln 9$
10. $4$
11. $\frac{9}{8}\pi$
12. $\frac{65}{28}$

13. $\frac{16}{3}\pi$

## 5.2. 치환적분

확인 문제(71쪽)

1. $18\pi$
2. $\pi\left(1-\frac{1}{e^4}\right)$
3. $0$

확인 문제(73쪽)

1. $\frac{2}{5}\pi$
2. $\frac{243}{2}\pi$

확인 문제(75쪽)

1. $2\pi$
2. $\frac{4}{15}\pi$

확인 문제(76쪽)

1. $e^2-1$

연습문제(77쪽)

1. $\frac{1250}{3}$
2. $\frac{\pi}{4}(\cos 1-\cos 9)$
3. $\frac{\pi}{2}\left(1-\frac{1}{e^4}\right)$
4. $\frac{3}{64}\pi^2$
5. $384\pi$
6. $\frac{8}{3}\pi+\frac{128}{15}$
7. $\frac{2}{5}\pi$
8. $\frac{312500}{7}\pi$
9. $\frac{1688}{15}\pi$
10. $\frac{\pi}{8}$
11. $2\ln 3$
12. $\frac{8}{5}\ln 8$
13. $e-\frac{1}{e}$
14. $\frac{2\sqrt{2}}{3}$
15. $\frac{16}{3}\pi$
16. $\frac{\pi}{2}(1-\cos 9)$
17. $\frac{\pi}{2}\left(1-\frac{1}{e^4}\right)$
18. $\frac{2}{5}\pi$
19. $0$
20. $\frac{243}{2}\pi$
21. $\frac{32}{3}\pi(\sqrt{2}-1)$
22. $\frac{4\sqrt{2}-5}{15}$
23. $\frac{\pi}{2}$
24. $\frac{128}{3}\pi(2-\sqrt{2})$
25. $2\pi(e^2-1)$
26. $\frac{4096}{21}\pi$

## 5.3. 넓이, 부피, 질량과 질량중심

확인 문제(79쪽)

1. $6$
2. $3 - 2\sin 1$

확인 문제(80쪽)

1. $\dfrac{64}{3}$
2. $3$
3. $\dfrac{1}{3}$

확인 문제(81쪽)

1. $\dfrac{81}{2}\pi$
2. $\dfrac{16}{3}\pi$
3. $36$
4. $\dfrac{\pi}{2}$

확인 문제(84쪽)

1. $\dfrac{1}{3}, \left(\dfrac{3}{5}, \dfrac{12}{35}\right)$
2. $\dfrac{12}{5}, \left(\dfrac{41}{63}, 0\right)$
3. $4, \left(\dfrac{16}{15}, \dfrac{8}{3}\right)$
4. $32\pi, \left(0, 0, \dfrac{8}{3}\right)$
5. $138, \left(\dfrac{186}{115}, \dfrac{56}{115}, \dfrac{168}{115}\right)$

연습문제(85쪽)

1. $\dfrac{17}{60}$
2. $\dfrac{31}{8}$
3. $6$
4. $\dfrac{128}{15}$
5. $\dfrac{1}{3}$
6. $\dfrac{64}{3}$
7. $\dfrac{16}{3}\pi$
8. $\dfrac{4}{3}\pi$
9. $\dfrac{2}{3}\pi\left(1 - \dfrac{1}{\sqrt{2}}\right)$
10. $\dfrac{8}{3}\pi(64 - 24\sqrt{3})$
11. $\dfrac{\pi}{12}$
12. $\dfrac{\sqrt{3}}{2} + \dfrac{\pi}{3}$
13. $\dfrac{16}{3}$
14. $\dfrac{8}{15}$
15. $\dfrac{\sqrt{3}-1}{3}\pi a^3$
16. $10\pi$
17. $42, \left(2, \dfrac{85}{28}\right)$
18. $6, \left(\dfrac{3}{4}, \dfrac{3}{2}\right)$

19. $\frac{8}{15}$, $\left(0, \frac{4}{7}\right)$

20. $\frac{L}{4}$, $\left(\frac{L}{2}, \frac{16}{9\pi}\right)$

21. $\frac{4}{3}$, $\left(\frac{3}{8}, \frac{3\pi}{16}\right)$

22. $\frac{7}{3}\pi$, $\left(0, \frac{45}{14\pi}\right)$

23. $a^5$, $\left(\frac{7a}{12}, \frac{7a}{12}, \frac{7a}{12}\right)$

24. $\frac{\pi k a^2}{8}$, $\left(0, 0, \frac{2a}{3}\right)$

25. $\frac{2}{3}\pi a^3$, $\left(0, 0, \frac{3a}{8}\right)$

26. $\frac{\pi}{3}(2-\sqrt{2})$, $\left(0, 0, \frac{6+3\sqrt{2}}{16}\right)$

## 6.1. 함수의 선적분

확인 문제(88쪽)

1. $4\sqrt{13}$

확인 문제(89쪽)

1. 12

연습문제(90쪽)

1. $\frac{8}{15}(1+\sqrt{2})$
2. $\frac{1}{54}(145\sqrt{145}-1)$
3. $2\pi + \frac{2}{3}$
4. $\frac{8192}{5}$
5. $-\frac{20}{9}(\sin 3 - \sin 6 + 3\cos 6)$
6. $\sqrt{5}\pi$
7. $\frac{236\sqrt{21}}{15}$
8. $\frac{\sqrt{14}}{12}(e^6-1)$
9. $\sqrt{2}\pi$
10. $\frac{2\sqrt{5}}{3}\pi(3+4\pi^2)$
11. $2\pi k$, $\left(\frac{4}{\pi}, 0\right)$
12. $2\sqrt{13}\pi k$, $(0, 0, 3\pi)$

## 6.2. 매개화된 곡면과 함수의 면적분

확인 문제(91쪽)

1. $3x + 4y - 12z = -13$
2. $x - 2y - 2z = 3$

확인 문제(92쪽)

1. $2\sqrt{14}\pi$
2. $4\pi$

확인 문제(93쪽)

1. $\frac{1}{12}(69\sqrt{69} - 5\sqrt{5})$
2. $\frac{\pi}{6}(17\sqrt{17}-1)$
3. $4\sqrt{2}\pi$
4. $8\pi$

확인 문제(94쪽)

1. $486\pi$

연습문제(95쪽)

1. $3x - y + 3z = 3$
2. $\frac{\sqrt{3}}{2}x - \frac{1}{2}y + z = \frac{\pi}{3}$
3. $3\sqrt{14}$
4. $\sqrt{14}\pi$
5. $\frac{4}{15}(9\sqrt{3} - 8\sqrt{2} + 1)$
6. $\frac{2}{3}\pi(2\sqrt{2} - 1)$
7. $\frac{\sqrt{21}}{2} + \frac{17}{4}(\ln(2 + \sqrt{21}) - \ln\sqrt{17})$
8. $4$
9. $11\sqrt{14}$
10. $\frac{2}{3}(2\sqrt{2} - 1)$
11. $171\sqrt{14}$
12. $\frac{\sqrt{21}}{3}$
13. $\frac{364\sqrt{2}}{3}\pi$
14. $\frac{\pi}{60}(391\sqrt{17} + 1)$

## 7.1. 선적분과 면적분

확인 문제(99쪽)

1. $31$
2. $-\frac{64}{3}$
3. $\frac{11}{6} + \frac{e}{2}$

확인 문제(101쪽)

1. $24\pi$
2. $-18\pi$

연습문제(102쪽)

1. $45$
2. $\frac{6}{5} - \cos 1 - \sin 1$
3. $\frac{11}{8} - \frac{1}{e}$
4. $2\pi^2$
5. $\frac{7}{3}$
6. $4$
7. $\frac{713}{180}$
8. $-\frac{4}{3}\pi$
9. $0$
10. $2\pi + \frac{8}{3}$

## 7.2. 회전과 발산

확인 문제(103쪽)

1. $\operatorname{curl} F = (y, 0, 3 - x^2)$
   $\operatorname{div} F = 2xy + 3z^2 - z$
2. $\operatorname{curl} F = (0, 0, 1)$
   $\operatorname{div} F = 3x^2 + 5y^4 + e^z$

연습문제(104쪽)

1. $\operatorname{curl} F = (0, 0, 4y)$
   $\operatorname{div} F = 4x$
2. $\operatorname{curl} F = (-y, -2x, -x)$
   $\operatorname{div} F = y + z$

3. $\operatorname{curl} F = (-3, 2x, 0)$
   $\operatorname{div} F = 2z$

4. $\operatorname{curl} F = (0, 0, -3y)$
   $\operatorname{div} F = -x$

5. $\operatorname{curl} F = (-x^2, 3xy, -xz)$
   $\operatorname{div} F = yz$

6. $\operatorname{curl} F = (10y-8z, 6z-10x, 8x-6y)$
   $\operatorname{div} F = 6x + 8y + 10z$

7. $\operatorname{curl} F = \left(\frac{y}{z^2}, \frac{z}{x^2}, \frac{x}{y^2}\right)$
   $\operatorname{div} F = \frac{1}{x} + \frac{1}{y} + \frac{1}{z}$

8. $\operatorname{curl} F = (0, 0, 0)$
   $\operatorname{div} F = \frac{2}{\sqrt{x^2 + y^2 + z^2}}$

9. $\operatorname{curl} F = (ze^x, xye^z - yze^x, -xe^z)$
   $\operatorname{div} F = y(e^x + e^z)$

10. $\operatorname{curl} F = (x^2e^{xy}+1, -(xy+1)e^{xy}, 0)$
    $\operatorname{div} F = 2x + 1$

# 7.3. 선적분의 계산

확인 문제(106쪽)

1. 8
2. $-16$
3. $\frac{152}{3}$

확인 문제(107쪽)

1. $\pi$
2. 16
3. $-54$
4. $6\pi$

확인 문제(108쪽)

1. $4\pi$
2. $4\pi$

확인 문제(109쪽)

1. $2\pi$
2. $\pi$

연습문제(110쪽)

1. 2
2. 77
3. 4
4. $8\pi$
5. $\frac{2}{3}$
6. $\frac{1}{3}$
7. $-24\pi$
8. $4\pi$
9. $-1$
10. $80\pi$
11. $\frac{81}{2}\pi$
12. 0

## 7.4. 면적분의 계산

확인 문제(112쪽)

1. $-\pi$
2. $0$

확인 문제(113쪽)

1. $0$
2. $12$
3. $32\pi$
4. $56\pi$

연습문제(114쪽)

1. $0$
2. $0$
3. $0$
4. $\frac{88}{3}\pi$
5. $\frac{9}{2}$
6. $\frac{9}{2}\pi$
7. $0$
8. $\frac{32}{3}\pi$
9. $2\pi$

지 은 이

**김 경 률**

서울대학교 경제학과

bir1104@snu.ac.kr

# 7일 만에 끝내는 미적분학 2

초판 1쇄 발행 2021년 10월 30일

지은이 김경률
펴낸곳 도서출판 계승
펴낸이 임지윤

출판등록 제2016-000036호

주소 13600 경기도 성남시 분당구 백현로 227
대표전화 031-714-0783

제작처 서울대학교출판문화원
주소 08826 서울특별시 관악구 관악로 1
전화 02-880-5220

ISBN 979-11-976426-0-9 93410